新潮文庫

野　火

大岡昇平著

新潮社版

652

野火

たといわれ死のかげの谷を歩むとも
ダビデ

一　出発

私は頬《ほお》を打たれた。分隊長は早口に、ほぼ次のようにいった。

「馬鹿《ばか》やろ。帰れっていわれて、黙って帰って来る奴《やつ》があるか。帰るところがありませんって、がんばるんだよ。そうすりゃ病院でもなんとかしてくれるんだ。中隊にゃお前みてえな肺病やみを、飼っとく余裕はねえ。見ろ、兵隊はあらかた、食糧収集に出動している。味方は苦戦だ。役に立たねえ兵隊を、飼っとく余裕はねえ。病院へ帰れ。入れてくんなかったら、幾日でも坐《すわ》り込むんだよ。まさかほっときもしねえだろう。どうでも入れてくんなかったら――死ぬんだよ。手榴弾《しゅりゅうだん》は無駄《むだ》に受領してるんじゃねえぞ。それが今じゃお前のたった一つの御奉公だ」

私は喋《しゃべ》るにつれ濡《ぬ》れて来る相手の唇《くちびる》を見続けた。致命的な宣告を受けるのは私であるのに、何故《なぜ》彼がこれほど激昂《げっこう》しなければならないかは不明であるが、多分声を高めると共に、感情をつのらせる軍人の習性によるものであろう。情況が悪化して以来、彼等《かれら》が軍人のマスクの下に隠さねばならなかった不安は、我々兵士に向って爆発するのが常であった。この時わが分隊長が専《もっぱ》ら食糧を語ったのは、無論これが彼の最大の不安だったからであろう。

いくら「坐り込ん」でも病院が食糧を持たない患者を入れてくれるはずはなかった。食糧は不足し、軍医と衛生兵は、患者のために受領した糧秣《りょうまつ》で食い継《つな》いでいたからである。病院の前には、幾人かの、無駄に「坐り込ん」でいる人達がいた。彼等もまたその本隊で「死ね」といわれていた。

十一月下旬レイテ島の西岸に上陸するとまもなく、私は軽い喀血《かっけつ》をした。水際《みずぎわ》の対空戦闘と奥地への困難な行軍で、ルソン島に駐屯《ちゅうとん》当時から不安を感じていた、以前の病気が昂じたのである。私は五日分の食糧を与えられ、山中に開かれていた患者収容所へ送られた。血だらけの傷兵が碌々《ろくろく》手当も受けずに、民家の床にごろごろしている前で、軍医はまず肺病なんかで、病院へ来る気になった私を怒鳴りつけたが、食糧を持っているのを見ると、入院を許可してくれた。

三日後私は治癒《ちゆ》を宣されて退院した。しかし中隊では治癒と認めない、五日分の食糧を持って行った以上、五日おいて貰《もら》え、といった。私は病院へ引き返した。あの食糧は五日分とはいえない、もう切れたと断られた。そして今朝私は投げ返されたボールのように、再び中隊へ戻《もど》って来たのであるが、それはただ私の中隊でもまた「死ね」というかどうかを、確めたかったからにすぎない。

「わかりました。田村一等兵はこれより直ちに病院に赴き、入院を許可されない場合は、自決いたします」

兵隊は一般に「わかる」と個人的判断を誇示することを、禁じられていたが、この時は見逃してくれた。

「よし、元気で行け。何事も御国のためだ。最後まで帝国軍人らしく行動しろ」

「はいっ」

室内には窓際に汚い木箱を机にして、給与掛の曹長《そうちょう》が何か書類を作っていた。我々の会話が聞えないように、黙って背中を向けていたが、私が傍《そば》へ行って申告すると、立ち上り、細い眼《め》をさらに細くしていった。

「よし、追い出すようで気の毒だが、分隊長の立場も考えてやらんといかん。犬死するなよ。糧秣をやるぞ」

彼は室《へや》の隅《すみ》の小さな芋の山から、いい加減に両手にしゃくって差し出した。カモテと呼ばれ、甘藷《かんしょ》に似た比島の芋であった。礼をいって受け取り、雑嚢《ざつのう》へしまう私の手は震えた。私の生命の維持が、私の属し、そのため私が生命を提供している国家から保障される限度は、この六本の芋に尽きていた。この六という数字には、恐るべき数学的な正確さがあった。

敬礼して廻《まわ》れ右をすると、分隊長の声が追って来た。

「隊長殿には申告せんでもいいぞ」

一瞬中隊長にいえば助かるかも知れないと思ったが、これは未練であった。前線では将校は下士官の集団的意志に屈していた。隊長室はこの室からひと跨《また》ぎの、渡廊下で繋《つな》いだ別棟《べつむね》にあったが、入口を覆《おお》ったアンペラは静まり返っていた。

「申告しないでもいい」とは、私の場合が前日病院へ送り返された時、決着していたことを示していた。今日私が帰って来たのは、まったく余計なことであった。だからこれは純然たる分隊長の問題だったわけである。

半ば朽ちた木の階段を下りると、木の間を透《とお》して落ちる陽《ひ》が、地上に散り敷いていた。横手に彼岸花に似た褪紅色《たいこうしょく》の花を交えた叢《くさむら》が連り、その向うの林の中で、十数人の兵士が防空壕《ぼうくうごう》を掘っていた。

円匙《えんぴ》が足りないので、民家で見つけた破《や》れ鍋《なべ》や棒を動員して掘って行く。敗残兵同様となってこの山間の部落に隠れている我々を、米軍はもう爆撃しにも来なかったが、壕はとにかく我々の安全感のために必要であった。それに我々にはほかにすることがなかった。

林の蔭《かげ》で兵士達の顔はのっぺりと暗かった。中に顔を挙げて私の方を見る者も、すぐ眼を外《そ》らし、下を向いて作業を続ける。

彼等は大部分内地から私と一緒に来た補充兵である。輸送船の退屈の中で、我々は奴隷《どれい》の感傷で一致したが、古兵を交えた三カ月の駐屯生活の、こまごました日常の必要は、我々を再び一般社会におけると同じエゴイストに返した。そしてそれはこの島に上陸して、情況が悪化すると共に、さらに真剣にならざるを得なかった。

私が発病し、世話になるばかりで何も返すことが出来ないのが明らかになると、はっきりと冷いものが我々の間に流れた。危険が到来せずその予感だけしかない場合、内攻する自己保存の本能は、人間を必要以上にエゴイストにする。私は彼等の既に知っている私の運命を、告げに行く気がしなかった。彼等の追いつめられた人間性を刺《し》戟《げき》するのは、むしろ気の毒である。

前方の路傍の木の根元に五、六名の衛兵が屯《たむろ》していた。そしてこれが現在、中隊の位置に残っている兵力の全部であった。

タクロバン地区における敗勢を挽回《ばんかい》するため、西海岸に揚陸された、諸兵団の一部であったわが混成旅団は、水際で空襲され、兵力の半数以上を失っていた。重火器は揚陸する隙《いとま》なく、船諸共《もろとも》沈んだ。しかし我々は最初の作戦通りブラウエン飛行場目指して、中央山脈を越える小径《こみち》を行軍したが、山際で先行した別の兵団の敗兵に押し戻された。先頭は迫撃砲を持つ敵遊撃隊の活動によって混乱に陥り、前進不可能だという。我々は止《や》むを得ず南方に道なき山越えの進路を取ったが、途中三方から迫撃砲撃を受けて再び山麓《さんろく》まで下り、この辺一帯の谷間に分散露営して、なすところなくその日を送っていた。オルモック基地に派遣された連絡将校は進撃の命令を伝えたが、部隊長はそれを握りつぶしていると噂《うわさ》された。

オルモックを出発する時携行した十二日分の食糧は既になかった。附近部落に住民が遺棄した玉蜀黍《とうもろこし》その他雑穀も、すぐ食べつくした。実数一個小隊となった中隊兵力の三分の一は、かわるがわる附近山野に出動して、住民の畠《はたけ》から芋やバナナを集めて来た。というよりは食い継ぎに出て行った。四、五日そうして食べて来ると、交替に次の三分の一が出動する間、留守隊を賄《まかな》うだけの食糧を持って帰って来るのである。附近の部落に散在する部隊も、同様の手段で食糧をあさっていて、我々は屢〻《しばしば》出先で畠の先取権を争い、出動の距離と日数は長くなった。

喀血して荷が担《かつ》げない私は、この食糧収集に加わることが出来ない。私が死ねといわれたのは、このためである。

私は木の間を歩き衛兵達に近づいた。彼等は土に腰を下し、迎えるように私を見守っていた。衛兵司令に隊から棄てられたことを、繰り返すのもいやであったが、彼等の無関心な同情に、惨《みじ》めな姿を曝《さら》すのが一層苦痛であった。待ち設けるような視線の中を歩いて、彼等の位置に達するまでの時間は長かった。

衛兵司令の兵長はしかし私の形式的な申告を聞くと顔色を変えた。満州の設営隊から転属になったこの色白の土木技師は、彼自身の不安を想起させられたのである。

「出て行くお前がいいか、残った俺達《おれたち》がいいかわかったもんじゃねえ。どうせ斬込《きりこ》みだからな」と呟《つぶや》いた。

「病院じゃ入れてくれないんだろう」と兵士の一人がいった。

私は笑って、

「入れてくれなかったら、入れてくれるまで頑張《がんば》るのさ」

と分隊長にいわれたままを繰り返した。私は早くこの場面《シーン》を切り上げることしか、考えていなかった。

別れを告げる時、偶然顔を見合せた一人の兵士の顔は歪《ゆが》んでいた。私自身の歪んだ顔が、欠伸《あくび》のように伝染したのかも知れない。私は出発した。

二　道

部落の中はアカシヤの大木が聳《そび》え、道をふさいで張り出した根を、自分の蔭で蔽《おお》っていた。住民の立ち退《の》いた家々は戸を閉ざし、道に人はなかった。敷きつめた火山砂《さ》礫《れき》が、褐色《かっしょく》に光り、村をはずれて、陽光の溢《あふ》れる緑の原野にまぎれ込んでいた。

臓腑《ぞうふ》を抜かれたような絶望と共に、一種陰性の幸福感が身内に溢れるのを私は感じた。行く先がないというはかない自由ではあるが、私はとにかく生涯《しょうがい》の最後の幾日かを、軍人の思うままではなく、私自身の思うままに使うことが出来るのである。

行く先は、心ではきまっていた。衛兵に告げた通り、病院へ行くのである。無駄な歎願《たんがん》を繰り返すためではない。あそこに「坐り込ん」でいる人達に会うためである。会ってどうするあてもなかったが、ただ私と同じく行く先のない彼等を、私はもう一度見たかった。

野が展《ひら》けた。正面は一粁《キロ》で林に限られたが、右は木のない湿原が尻《しり》ひろがりに遠く退いた先に、この島の脊梁《せきりょう》をなす火山性の中央山脈の山々が重なり、前山の一支脈は延びて、正面の林の後へ張り出して来ていた。その伏した女の背中のような起伏が、次第に左へ低まり、一つの鼻でつきたところに、幅十間ばかりの急流が現われ、丘はまたその対岸に高まって、流れに沿って下り、この風景の左側を囲っていた。その先に海があるはずであった。

病院は正面の丘を越えて、約六粁の行程である。

午後の日は眩《まぶ》しかった。嵐《あらし》を孕《はら》むと見えるほど晴れて輝く空は、絶えずその一角を飛ぶ、敵機の爆音に充《み》たされていた。その蜜蜂《みつばち》の羽音のような単調な唸《うな》りの間に、時々何処《どこ》か附近の山々で散発する迫撃砲の音が混った。開けた野に姿を曝すのは、敵機に狙《ねら》われる危険があったが、この時の私には怖《おそ》れる理由がなかった。

私は手拭《てぬぐい》を帽の下に敷いて汗の流れるのを防ぎ、銃を吊革《つりかわ》で肩にかけて、元気に歩いて行った。熱はやはりあるらしかったが、私は昔からこの熱に馴《な》れていた。それはかつて青春の欲望を遂行するには、巧みに折り合わねばならぬ障害であったと同じく、今は私の生涯の最後の時を勝手に生きるため、当然無視すべき一状態にすぎなかった。病気は治癒を望む理由のない場合何者でもない。

私は喉《のど》からこみ上げて来る痰《たん》を、道傍《みちばた》の草に吐きかけ吐きかけ歩いて行った。私はその痰に含まれた日本の結核菌が、熱帯の陽にあぶられて死に絶えて行く様を、小気味よく思い浮べた。

林の入口で道は二つに分れていた。正面は丘を越えて真直に病院へ行く道、左は林の中に丘の鼻を廻って、同じ谷間へ入る道である。丘越えの道が無論近いが、私は既に昨日から二度往復してその道に飽きていた。目的のない者の気紛《きまぐ》れから、私は未知の林中の道を取る気になった。

林の中は暗く道は細かった。樫《かし》や櫟《くぬぎ》に似た大木の聳える間を、名も知れぬ低い雑木が隙間《すきま》なく埋め、蔦《つた》や蔓《つる》を張りめぐらしていた。四季の別なく落ち続ける、熱帯の落葉が道に朽ち、柔らかい感触を靴裏《くつうら》に伝えた。静寂の中に、新しい落葉が、武蔵野《むさしの》の道のようにかさこそと足許《あしもと》で鳴った。私はうなだれて歩いて行った。

奇怪な観念がすぎた。この道は私が生れて初めて通る道であるにも拘らず、私は二、度とこの道を通らないであろう、という観念である。私は立ち止り、見廻した。

なんの変哲もなかった。そこには私がその名称を知らないというだけで、色々な点で故国の木に似た闊葉樹《かつようじゅ》が（直立した幹と、開いた枝と、垂れた葉と）静まり返っているだけであった。それは私がここを通るずっと前から、私が来る来ないに拘《かかわ》らず、こうして立っていたであろうし、いつまでもこのままでいるであろう。

これほど当然なことはなかった。そして近く死ぬ私が、この比島の人知れぬ林中を再び通らないのも当然であった。奇怪なのは、その確実な予定と、ここを初めて通るという事実が、一種の矛盾する聯関《れんかん》として、私に意識されたことである。

もっとも私は内地を出て以来、こういう不条理な観念や感覚に馴れていた。例えば輸送船が六月の南海を進んだ時、ぼんやり海を眺《なが》めていた私は、突然自分が夢の中のように、整然たる風景の中にいるのに気がついた。

紺一色の海が拡《ひろ》がり、水平線がその水のヴォリュームを押し上げるように、正しい円を画《えが》いて取り巻いている。海面からあまり離れていない一定の高さに、底部が確然たる一線をなしたお供餅《そなえもち》のような雲が、恐らくは相互に一定に距離を保って浮んでいる。そしてそれが船が一律の速度で進むにつれ、任意の視点を中心に、扇を廻すように移って行く。舷側《げんそく》をすぎて行く規則正しい波の音と、単調なディーゼルエンジンの音に伴奏されて、この規則正しい風景は、その時私に甚《はなは》だ奇怪に思われた。

偶然安定した気圧の下に、太陽が平均した熱を海面に注ぎ、絶えず一定量の水蒸気を蒸発させる以上、一定の位置に、同形の雲を生じるのになんの不思議はなかった。そして機械によって一定した速度で進む船から眺める以上、風景が一様の転移を見せるのも当然であった。私は即座にこう反省したにも拘らず、私の昂奮はなかなか去らなかった。そこには一種快い苦痛のニュアンスがあったのである。

もしこの時私が一遊覧客であったならば、帰国後自国の陸に繋《つな》がれた哀れな友人に、大洋の奇観を語る場面を空想したろう。私の昂奮と苦痛は多分、敗戦と死の予感に冒されていた私が、その奇怪な経験を人に伝えることを、予想出来ないことに基いていたろう。

比島の林中の小径を再び通らないのが奇怪と感じられたのも、やはりこの時私が死を予感していたためであろう。我々はどんな辺鄙《へんぴ》な日本の地方を行く時も、決してこういう観念には襲われない。好む時にまた来る可能性が、意識下に仮定されているためであろうか。してみれば我々の所謂《いわゆる》生命感とは、今行うところを無限に繰り返し得る予感にあるのではなかろうか。

比島の熱帯の風物は私の感覚を快く揺った。マニラ城外の柔らかい芝の感覚、スコールに洗われた火焰樹《かえんじゅ》の、眼が覚めるような朱の梢《こずえ》、原色の朝焼と夕焼、紫に翳《かげ》る火山、白浪《しらなみ》をめぐらした珊瑚礁《さんごしょう》、水際に蔭を含む叢等々、すべて私の心を恍惚《こうこつ》に近い歓喜の状態においた。こうして自然の中で絶えず増大して行く快感は、私の死が近づいた確実なしるしであると思われた。

私は死の前にこうして生の氾濫《はんらん》を見せてくれた偶然に感謝した。これまでの私の半生に少しも満足してはいなかったが、実は私は運命に恵まれていたのではなかったか、という考えが閃《ひらめ》いた。その時私を訪れた「運命」という言葉は、もし私が拒まないならば、容易に「神」とおき替え得るものであった。

明らかにこうした観念と感覚の混乱は、私が戦うために海を越えて運ばれながら、私に少しも戦う意志がないため、意識と外界の均衡が破れた結果であった。歩兵は自然を必要の一点から見なければならない職業である。土地の些細《ささい》な凹凸《でこぼこ》も、彼にとって弾丸から身を守る避難所を意味し、美しい緑の原野も、彼にはただ素速く越えねばならぬ危険な距離と映る。作戦の必要により、あなたこなた引き廻される、彼の眼に現われる自然の雑多な様相は、彼にとって、元来無意味なものである。この無意味さが彼の存在の支えであり、勇気の源泉である。

もし臆病《おくびょう》或《ある》いは反省によって、この無意味な統一が破れる時、その隙間から露呈するのは、生きる人間にとってさらに無意味なもの、つまり死の予感であろう。

三　野火

私はいつか歩き出していた。歩きながら、私は今襲われた奇怪な観念を反芻《はんすう》していた。その無稽《むけい》さを私は確信していたが、一種の秘密な喜びで、それに執着するものが、私の中にあったのである。

道は林の中で丘裾《おかすそ》の線をなぞって自然にうねっていた。緑の丘肌《おかはだ》が木々のあわいに輝いた。林が途切れると、丘の夢幻的な緑を形づくる雑草が、道傍まで降りて来た。平らな稜線《りょうせん》に、人に似た矮小《わいしょう》な木が、ぽつんと立っているのを、私は認めた。

林が尽き、乾いた砂利と砂に、疎《まば》らに草の生えた野へ出た。河原であった。処々《ところどころ》島のように点在した高みに、芒《すすき》の群が遅い午後の光に銀色の穂を輝かせた。川はその向うに、一条の鋼鉄の線をなして横わり、風景を切って遽《あわ》だしく滑っていた。対岸は多摩の横山ほどの高さの丘陵が、やはり淡い草の緑を連ね、流れを遡《さかのぼ》って右へ右へと退いて行った。そして遂《つい》に崖《がけ》となって河原へ落ち込んだ下に、一条の黒い煙が立ち上っていた。

煙は比島のこの季節では、収穫を終った玉蜀黍《とうもろこし》の殻《から》を焼く煙であるはずであった。それは上陸以来、我々を取り巻く眼に見えない比島人の存在を示して、常に我々の地平を飾っていた。

歩哨《ほしょう》はすべて地平に上がる煙の動向に注意すべきであった。ゲリラの原始的な合図かも知れないからである。事実不要物を焚《た》く必要から上がる煙であるか、それとも遠方の共謀者と信号する煙であるかを、煙の形から見分けるという困難な任務が、歩哨に課せられていた。

今見る川向うの煙は、明らかにその下で燃やされる物の大きな量を思わせる、幅広の盛んな煙であった。黒いその下部に、私は時々橙色《だいだいいろ》の焰《ほのお》の先が侵入するのを認めた。

しかし歩哨の習慣を身につけていた私に、煙は開いた河原に姿を現わすのを、躊躇《ためら》わすのに十分であった。それが単なる野火であるにせよ、ないにせよ、その下に燃焼物と共に比島人がいるのは明瞭《めいりょう》であった。そして我々にとって比島人はすべて実際は敵であった。

私は初めて見知らぬ道を選んだことを後悔した。しかし既に死に向って出発してしまった今、引き返すのはいやであった。私は右手に丘を縁取る道なき林の中を迂回《うかい》して、河原の道が前方で、また別の林に入っているところまで、辿《たど》りつくことにした。

垂れ下がる下枝や、足にからむ蔓を、帯剣で切り払いながら、私は進んだ。湿った下草を踏む軍靴《ぐんか》は、滑り易《やす》かった。方向を失わないため、河原からの明るい反射が、羊歯《しだ》類をエメラルドに光らす距離を、林縁と保った。そこにも道があった。辿って林の奥に進むと、一軒の小屋があり、人がいた。一人の比島人が眼《め》を見開いて立っていた。

私は立ち止り、銃を構え、素速くあたりへ眼を配った。

「今日は、旦那」

と彼は媚《こび》を含んだ声でいった。年の頃《ころ》三十くらいの顔色の悪い比島人である。色褪《いろあ》せた空色の半ズボンの下から、痩《や》せて汚れた足が出ている。住民の尽《ことごと》く逃亡したはずのこのあたりで、彼の存在がすでに怪しかった。

「今日は」

と私はおぼつかないビサヤ語で機械的に答え、なおも周囲を検討した。静かであった。小屋は一尺しか床上げがしてなく、前後は開け放されて、裏まで見通せた。刺戟《しげき》性《せい》の異臭があたりに漂っていた。

「You are welcome」

と比島人は私の手にある銃を見ながら、卑屈に笑った。その時私の口を突いて出たのは、私がそれまで思ってもみなかった、次の言葉であった。

「玉蜀黍はあるか」

男の顔は曇ったが、相変らず「ユー、アー、ウェルカム」を繰り返しながら、いざなうように先に立ち、小屋の裏へ廻《まわ》った。そこに土を掘って火を仕掛け、大きな鉄鍋《てつなべ》がかけてあった。中には黄色いどろどろの液体が泡《あわ》を吹いていた。傍《そば》の土に黄色い山の芋がころがっているところを見ると、それを煮つめているらしい。異臭はその液体から昇って来るのである。

　別の小鍋に玉蜀黍の粒をほぐしたのが煮てあった。彼はそれをすくって汚い琺瑯引《ほうろうび》きの皿《さら》に盛り、黒い大粒の塩を添えて薦めた。私はその時全然食欲がないのに気がついた。

「ここはお前の家か」

「いや、家は川向うだ」

　と彼は答え、木の間越しに川を指さした。臭い山の芋を煮て何にするかは不明であるが、どうやら彼は専《もっぱ》らこの作業のため、ここへ来ているらしい。芋はこのあたりで採れるのであろう。「何にするのか」と訊《き》いたが、彼の答えたビサヤ語は、私には理解出来なかった。

　私は皿を前にして、ぼんやり床に腰かけていた。男は絶えず張りつけたような笑いを浮べ、私の顔を見詰めていた。

「食べないのか」

　私は首を振り、腰の雑嚢《ざつのう》にその玉蜀黍を開けながら、食欲がないのに、食物を要求した自分を嫌悪《けんお》していた。

　私は既にその男に対する警戒を解いていた。我々は一般に比島人の性格を見分けるほど、観察の経験も根気も持っていなかったが、絶えず私の視線を迎えて微笑《ほほえ》もうとしている彼の顔は、単に圧制者に気に入られようとする、人民の素朴な衝動のほか、何ものも現わしていないように思われた。それに、これは私が生涯の終りに見る、数少ない人間の一人であるべきであった。

彼は突然思いついたという風に、

「芋をやろうか」といった。

「この芋は食えまい」

「いや、ほかのがある。待っててくれ」

彼は立ち上り、林の奥へ歩いて行った。私はぼんやりそのあとを見送っていた。彼は振り向きもせず、ずんずん歩いて、やがて横手の窪地《くぼち》に降りて、見えなくなった。

私は改めて荒れはてた小屋の内部を見廻した。汚れた床板は処々はがれ、竹の柱は傾き、あらわな板壁にやもりが匍《は》っていた。そういうがらんとした小屋の内部は、必要以上に生活を飾ろうとしない、比島の農民の投げやりな営みが現われていた。

(この男達の間にまじって、まだ生きられるかも知れない)と私は思った。

男はなかなか帰らなかった。私は不安になった。立ち上った時の彼の素速い動作が思い出された。私は林の奥で、彼の消えたあたりまで行って見た。木々がしんと静まり返っているばかりであった。（逃げたな）と思うと怒りがこみ上げて来た。急いで林の縁まで出て見ると、果して遠く川の方へ転がるように走って行く後姿が見えた。振り返って私の姿を認めると、拳《こぶし》を威嚇《いかく》するように頭の上で振り、それからまた駈《か》けて行った。その距離は到底弾の届きそうもない、届いても当りそうもない距離である。彼の姿はやがて輝く芒に隠れた。

私は苦笑した。マニラで比島人の無力な憎悪の眼を見て以来、彼等に友情を求めるのがいかに無益であるか、私はよく知っていたはずである。私は小屋に帰り、山の芋を煮た鍋を蹴返《けかえ》して、その場を去った。彼が逃げた以上、ここに止《とどま》るのは危険である。

私は大胆に開けた河原に、自分の姿を現わした。彼が川向うまで逃げて行ったところを見れば、この地点は今は安全なのである。それはこの附近に彼が救いを求めるべき人のいないことを意味した。少なくとも彼が川向うの仲間を連れて、引き返して来るまでに、ここを去ればよい。

私は足早に砂利を踏んで河原を横切り、前方の林の入口でもとの道に入った。この林の木は小さく幹は細かった。蟻塚《ありづか》が道傍《みちばた》にうず高くつもり、蟻が吹き出すように溢《あふ》れていた。私は慎重に前方を警戒しながら進んだ。いかに推理によって安全を確信していたとはいえ、私の恐怖にとっては、逃げた男はこの道に比島人のいる可能性だったのである。警戒は私から瞑想《めいそう》を奪った。

林が切れた。川向うには依然として野火が見えた。いつかそれは二つになっていた。遠く、人が向うむきに蹲《うずく》まった形に孤立した丘の頂上からも、一条の煙が上っていた。麓《ふもと》の野火は太く真直にあがったが、丘の上の野火は少し昇ると、空の高い所だけに吹く風を示して倒れ、先は箒《ほうき》のようにかすれていた。麓の煙が空気の重さと争うように、早く勢込めて騰《あが》るのに対し、丘の煙は細く高く、誇らかに騰って、空の風と戯《たわむ》れるように、揺れて靡《なび》いて流れていた。この気象学的常識に反した、異なる形の煙の一つの風景の中の共存は、奇妙な感覚を与えた。

丘の煙は恐らく牧草を焼く火であろうが、我々の所謂「狼煙《のろし》」にかなり似ていた。しかしなんの合図であろう。

私は焦立《いらだ》った。右手の丘はますます迂回されつつあった。女の背のような優美な側面は、いつか意外に厳しく狭い正面に変り、三角の頂上から、両足をふんばったように、二つの小尾根を左右に投げ落していた。そしてそのあわいの小さな窪みに、肱掛《ひじかけ》椅子《いす》の形の玄武岩を支えていた。先の方の尾根を廻れば、病院のある谷間へ出るかも知れない。私は足を早めた。

また林に入った。中で道は二つに分れていた。左は川沿いに遡る道、右が丘に添う道らしい。右へ取って少し行くと林が尽き、広い草原が拡《ひろ》がった。そしてそこに私はまた野火を見た。

川の側は林が続き、川と一緒に左へ左へとそれて行っていた。前は一粁《キロメートル》ばかり草原が砂丘のように、ゆるやかに起伏した果てに、岩を露出した別の丘が、屏風《びょうぶ》のように立ちふさがっていた。そして私とその丘との中央に、草が半町ほどの幅で燃えていた。人はいなかった。

私はその煙を眺《なが》めて立ち尽した。

私の行く先々に、私が行くために、野火が起るということはあり得なかった。一兵士たる私の位置と、野火を起すという作業の社会性を比べてみれば、それは明らかであった。私は孤独な歩行者として選んだコースの偶然によって、順々に見たにすぎない。私の不安はやはり内地を出て以来の、奇妙な感覚の混乱に属していた。不安の唯一《ゆいいつ》の現実的根拠は、野火のあるところには人がいるということだけであったが、しかしこの一般的な因果関係は、私のこの時の不安の原因として十分ではなかった。現に草原の野火の下には人はいない。原因は私個人に起った事件の系列にあった。私の見た野火の数にあった。

そして私がこうして私の個人的な感覚に悩まされるのは、恐らく私があまり自分に気を取られすぎるからであろう。

私は魔法の解除を求めて、病院のある部落を地平に探した。前に拡がる草原の広さから見て、大体これを目的の谷間の一部と考えることが出来たからである。そして私は遥《はる》か右手、岩山の麓に、寄り合うように固っている、見馴《みな》れた数軒の家を見つけることが出来た。

あそこにはとにかく同胞がいる。この時私にはこの観念のほかはなかった。

道は燃え続ける野火の中を通っていたが、私はそれを越えて行くことが出来なかった。道をはずれ、肩ほどある萱《かや》を分けて、真直に部落を目指して進んだ。

しかし私の眼は煙から離れなかった。日は傾き、いつか風が出ていた。煙は匍って草を蔽《おお》い、時々綿のようにちぎれて揚って、川を縁取る林の方へ飛んで行った。見渡す草原に人影はなかった。誰《だれ》がこの火をつけたのだろう。これは依然として私が目前の事実からは解決出来ない疑問であった。

四　坐《ざ》せる者等《ものら》

病院の附近は、住民の開墾した玉蜀黍畑が草原を切り取り、収穫を終えたあらわな畦《あぜ》が、前面の丘裾まで続いていた。丘の稜線は、中隊の側から見るのと同じ柔和な曲線を描いているが、暗緑色の雑木が、乱雑に頂上近くまで匍い上り、処々赭土《あかつち》が露出して、なんとなく荒れ果てた裏側の感じを与えていた。

病院は民家を利用したものであった。部落を構成する三棟《みむね》の小屋の内、一棟が医務室、二棟が病棟《びょうとう》に充《あ》てられ、軍医二人衛生兵七人が約五十名の患者を看《み》ていた。あらゆる物が不足していた。薬は与えられず、繃帯《ほうたい》は替えられなかった。病院はもと海岸の或《あ》る町に開かれていた療養所が、作戦の進行と共に移動したものであるが、その時連行した約三十名の独歩患者の外は、食糧を中隊から携行する者しか受け付けなかった。

軍医達は患者を追い出して食糧をセーヴすることしか考えていなかった。少しでも下痢すると、食事が全然与えられなかったので、患者は無理しても退院して行った。所在不明の原隊を追求するために、一食分の食糧が出発に際し与えられた。

二町ばかりさまよい出て、路傍に倒れている者がいた。二、三日彼等の姿は位置を変えて、遠く木の下、林の縁などに望まれたが、やがて何処《どこ》かへ消えてしまった。

動けない、或いは動こうと欲しない者、つまり「坐《すわ》り込ん」でいる者等は、病院から谷間を少し奥へ入った、林の縁にころがっていた。彼等の数は次第に増えて行った。

私は疲れていた。刈り取られた玉蜀黍の切株の固い畦を渡って、そういう兵等のかたまっているところに辿りつくと、黙って腰を下し、水筒の水を飲んだ。痺《しび》れるような、荒涼たる感情が私の心を領していた。それは一部は私の肉体の疲れの、一部は今通って来た大きな草原の、孤独の効果らしかった。

原は広く、目指す病院の屋根はなかなか近くならなかった。それは波立つ萱の彼方《かなた》に、手に取るように見えながら、私を取り巻く原の広さを思わせて、いつまでもちんまりと遠く、行く手に控えていた。風は絶えず颯々《さっさつ》と響を立てて耳許《みみもと》を過ぎ、また私の占めていない広い空間を渡って行くらしかった。草は圧《おさ》えられたように、一斉《いっせい》に頭を風下に倒して、動かなかった……

「また帰って来たのか」

と声がかかった。振り返ると顔馴染《かおなじみ》の安田という中年の病兵の、表情のない顔があった。熱帯潰瘍《かいよう》で片足が棍棒《こんぼう》のようにふくれ上っていた。向脛《むこうずね》にある一つの潰瘍は、塩煎餅《しおせんべい》の大きさに拡がり、真中に飯粒ほどに骨が見えていた。彼はそこに比島人の療法に従って、刺戟性の匂《にお》いのする植物の葉をはり、上にブリキの小片をあてて、布で縛っていた。

「そうさ、やっぱり中隊じゃ入れてくれなかった」

「でも、ここへ来たってしようがあるめえに」

私は黙った。お前達の仲間に入れて貰《もら》いに来たのさ、という言葉は喉《のど》でつかえた。中隊を出る時彼等に対して持っていた、或いは持っていたと思っていた興味は、二時間の孤独な散歩の間に必要と変ったのを私は知っていた。だから私はそれを彼等にいいたくなかったのである。

「行くところがないからさ」

と私は単に一般的事実を指摘するに止《とど》めた。

私は改めて周囲のわが絶望の同僚を数えた。我々は八人であった。朝私がここを出た時にいた六人から一人が去り、二人が新しく到着していた。我々の中で実際に動けないのは、二、三日前衛生兵に抗《さか》って追い出された、若いマラリア患者だけであった。あとは下痢、脚気《かっけ》、熱帯潰瘍、弾創等々、或いはそのいくつかを兼ねた病兵であるが、正確にいってここにいなければならないということはなかった。

彼等は要するに私同様、敗北した軍隊から弾《はじ》き出された不要物であった。そして彼等を収容すべき救護施設もまた、敗軍の必要からその能力がないことが判明すると、彼等にはもう行く所がなかった。彼等は結局こうして、彼等がかつて「兵士」たりし時の、最終の空想上の拠《よ》り所であった、この避難所の周辺を彷徨《ほうこう》するほかはなかったのである。

私が正式の患者としてこの病院で暮した間、私は彼等の様子を注意していた。私もまたやがて彼等の仲間に入るかも知れない、と考える理由があったからである。

小屋から見ると彼等は林縁の汚点のように見えた。思い思いの恰好《かっこう》で横わり、時々立ち上って無意味にのろのろと動いた。人間よりは動物に近かった。しかも当惑のため生存の様式を失った、例えば飼い主を離れた家畜のように見えた。

しかし今その一員として彼等の間に入って、私は彼等が意外に平静なのに驚いた。内に含むところあるらしい彼等の表情からみて、彼等が一人一人異った個人的必要を持ち、またそれに対処する心を持っているのは、明らかであった。そして一見無意味に見える彼等の動作にも、それぞれ意味があったのである。

例えば私が着いて暫《しばら》くすると、稍〻《やや》離れたところに寝ていた彼等の一人は立ち上り、真直に私の前まで来た。そして、

「おい、糧秣《りょうまつ》いくら持っている」と訊いた。

彼は下痢患者らしく怖《おそ》ろしいほど痩《や》せて、私の返事を待つ間も、じっと立っていられないらしく、体をふらふら振っていた。そして芋六本という私の答を聞くと、満足

気に諾《うなず》いて、のろのろと自分の席へ帰って行った。恐らくここにいる人々の持つ食物の量を知っておくのが、何か私の知らない理由によって、彼には必要だったのであろう。

「ははは、六本ありゃ豪勢だ。お前の中隊は気前がいい。俺《おれ》んとこは二本しか寄越さねえ。それが今じゃ一本よ」

と傍《そば》から別の兵士がいい、その一本をわざとポケットから出して見せた。彼は今日私のいない間に、到着した若い病兵で、足首の弾創に蛆《うじ》を湧《わ》かしていた。

我々の状態では自分の持つ食糧の少なさを誇示するのは微妙な問題であった。みな黙っていた。彼は気配を察していった。

「ふふ、心配するな。誰もくれっていやしねえ。今夜、あそこから掻払《かっぱら》って来てやらあ」

といって、医務室の方を睨《にら》んだ。

しかし退屈した彼等の会話は、やはり絶望に関するものであった。

「あーあ、俺達はどうなるのかなあ」

と一人の兵士がラジオ・ドラマの口調でいった。彼は最初私に話し掛けた安田と、同じ中隊に属する若い兵士で、栄養不良と脚気でむくんだ大きな顔が、平たい胸の上に載っていた。

「どうなるものか。死ぬだけよ――どうせこの島へ上っちゃ助からねえんだから、今更くやむこたねえさ」と芋一本の兵士が嘲《あざけ》った。

「落下傘《らっかさん》部隊が降りるってじゃないか」

「へん、お前この島へ来てから友軍機一機だって見たことあるか。日が暮れてから蝙《こう》蝠《もり》みたいに、バタバタやって来るだけじゃないか。それもこの頃《ごろ》じゃさっぱり聞かねえ。米《べえ》さんの落下傘部隊を待った方が早そうだぜ。もっとも奴等《やつら》はそんな面倒なことをしねえで、さっさと船で上って来るだろうがね」

「そうも行くめえ。西海岸は何ていったって友軍のもんだ」

「どうかね。何とかいってるうちに、この辺にもどっと上って来そうな気がするな――聞きねえ。オルモックがまた遠距離砲撃を食《くら》ってるぜ」

北の方の空を遠雷のような唸《うな》りを伴った砲声が渡り始めていた。それは我々が四方に聞く乾いた迫撃砲の音とは違った、地響を伴う鈍い音で、我々が背を向けている岩山の後を、広い幅で蔽って鳴り、谷々に谺《こだま》しつつ、次第に南へ移って行った。

「二十五サンチだ」

と誰かが指摘した。それは我々が上陸した頃《ころ》も、朝夕きまって一時間ずつ、東海岸の米軍の砲兵陣地が、中央山脈を越して送って来た榴弾《りゅうだん》であった。

みな黙って、暫《しばら》く砲声に耳を傾けているらしかった。

「なんだな」と新しい兵士は相変らず嘲るようにいった。「いっそ米《べえ》さんが来てくれた方がいいかも知れねえな。俺達はどうせ中隊からおっぽり出されたんだから、無理に戦争するこたあねえわけだ。一括《ひとから》げに俘虜《ふりょ》にしてくれるといいな」

「殺されるだろう」と別の兵士が遠くから答えた。

「殺すもんか。あっちじゃ俘虜になるな名誉だっていうぜ。よくもそこまで奮闘したってね。コーン・ビーフが腹一杯食えらあ」

「よせ。貴様それでも日本人か」

と声がした。マラリアの若い兵士が起《た》ち上っていた。頰《ほお》が赤く眼が血走っていた。

相手は笑いを頰に強張《こわば》らして、じっと前方を見詰めていた。マラリアの兵士は何かいいつのろうとしたが、喉を鳴らしただけで草の中へ倒れた。

五　紫

日は暮れて来た。空は夕焼して赤い色が天頂を越え、東の方中央山脈の群峰を雑色に染めていた。地上は草のあわいまでも紫の影に満ち、陽《ひ》の熱の名残と、土と、水蒸気とから生れる、甘ずっぱい匂いがあたりに漂っていた。遥か川向うの丘の上には、芋虫が立ち上ったような巻雲《けんうん》が夥《おびただ》しく並んで、これも真紅に染っていた。

見渡す野には野火はいつか衰え、薄い煙が湯気のように、一面に騰っているだけになった。凪はいつか落ちていた。

十間ばかり離れた病院の小屋では食事の時間になったとみえ、飯盒《はんごう》を下げた衛生兵が忙がしく出入りし出した。四十歳ぐらいの徴用らしい軍医が、小屋の前に立って、暫く夕焼した空を眺めていたが、やがて「あーあ」と深く溜息《ためいき》して、小屋に入ってしまった。戸口で彼はちらと我々の方を振り向いた。

小屋では物音がしていたが、我々の林の中は静かであった。

「どれ、俺達も飯にするか」

といって安田は立ち上り、マラリアの兵士の傍へ寄った。

「おい、芋まだあったら出しな、一緒にふかしてやるぜ」

病兵は薄眼《うすめ》をあけたが、首を振って向うへ寝返った。食いたくないというのか、持っていないというのか、明瞭《めいりょう》ではない。

安田は木の枝の杖《つえ》をつき、林の奥へ入って行った。そこに彼の竈《かまど》があると見える。

その後姿は「病人のほかは知らねえぞ」とはっきりいっていた。

芋一本の若い兵士は憎々しげにあとを見送っていた。「ちぇっ。ちゃっかりしてやがら、この忙しい中にふかしたりしやがって、あの野郎。どこで仕入れやがったか、しこたま煙草《たばこ》の葉を腹へ巻いてやがる。さっきも医務室へ行って、芋と取り替えて来やがった。さっさと隊へ帰ればいいのに、結構ここで商売してやがるんだ」

「大きなお世話だ。羨《うらやま》しいか」と安田と同じ中隊の若い兵士がいった。

「へん、やにおやじの肩を持ちやがって、お前芋半分でも彼奴《あいつ》から貰うのか」

相手は黙った。

病兵はめいめいの食糧を出して食べ始めた。大抵は生芋であるが、中には飯粒のついた皺《しわ》くちゃな紙片を出して拡げる者もある。握飯を包んであったものらしい。恐らく何処かで拾ったものであろうが、とにかくそれが彼の一食分の予定らしかった。病院の給与は一日握飯一個であるから、我々の自発的な食事の量もほぼそれに準じる。

私は雑嚢《ざつのう》を開けて比島人から奪った玉蜀黍《とうもろこし》を食べ、芋一本しかないという兵士に一握りを与えた。彼の眉《まゆ》が上った。

「すまねえ。明日の朝返すからな」

といいわけしながら、彼はその粒を一つ一つつまんで、口へ抛《ほう》り込んだ。

先刻彼と争った若い兵士が眼を輝かして傍へ寄って来た。

「お前はおやじから貰え」

とこっちは押しのけるようにいった。相手は未練がましく、私の言葉を待つ風で、そこらをぶらぶらしていたが、私は既に私の気前を出し尽していた。

「うっ」と呻《うめ》きを発して、遂《つい》にその若い兵士は立ち去った。その時私は眼を挙げて彼の顔を見たが、その顔は激しい努力を表わしていた。私はこの時彼が食糧を全然持っていないこと、私が気前を示す順序を誤ったことに気がついたが、もう遅かった。私も比島人から奪った玉蜀黍でなかったら、人に与えはしなかったであろう。

「有難《ありがと》う。この恩は一生忘れねえぜ」

「長い一生でもないだろう」

「違えねえ。でも今夜は是非医務室へ忍び込んで、暫く命を延ばすつもりだ」

「よせよ、見つかるぞ」

（結局患者が困るじゃねえか）と私は附《つ》け加えたかったが、その言葉がこの時、いかにも弱いと私は感じた。

ふと見るとマラリア患者がいつか立ち上り、木につかまって、ふらふらと前後に揺れていた。彼の眼は我々の頭を越して、青く霞《かす》み出した野に放たれていた。その視線の方向を顧みたが、別に注意を惹《ひ》くものはなかった。

「どうした」と芋一本の兵士が声を掛けた。「ここらあたりの景色でも気に入ったのか」

兵士は声のする方を見ようとするらしく、顔を動かしたが、眼は正確には我々の方を向かなかった。袴下《こした》の腿《もも》のあたりにしみが現われ、下の方へ拡がっていった。小便失禁であった。

我々は傍へ寄った。かかえる体は熱かった。

「困ったな。袴下の替えようもねえ」

「しようがねえさ……おい、小便ならいえよ。後から持っててやるからな」

「うん」

と微《かす》かな返事がしたが、我々のいうことがわかったかどうか、疑問であった。

「駄目《だめ》だな。長いことはあるめえ」

と彼を草に臥《ね》かせて、再びそれぞれの席に帰りながら、一人がいった。

「お前達、みんな脱走兵だぞ」

と思い掛けなく大きな声で病人がいった。彼は我々の中で、唯《ただ》一人の現役の兵士であった。

私はあまり暗くならない内に水を汲《く》もうと立ち上った。水は一町ばかり離れた山際《やまぎわ》に湧いている。俺のも頼むという声が掛って、到頭私は数本の水筒を持たされてしまった。この未来のない人間共にも、なるべく他人の労力を使うという経済は残っていた。

林の奥で安田が、飯盒を火にかけて番をしていた。火が彼の顔を明るく照し出すほど、いつかあたりは暗くなっていた。俯向《うつむ》いた彼の顔には、無数の皺が切り疵《きず》のように走っていた。

六　夜

夜は暗かった。西空に懸った細い月は、紐《ひも》で繋《つな》がれたように、太陽の後を追って沈んで行った。めいめい雨衣《あまい》をかぶり、雑嚢を枕《まくら》に横になった。強い光を放つ大きな蛍《ほたる》が、谷間を貫く小さい流れに沿って飛んで来て、或《あ》るいは地上二米《メートル》の高さを、火箭《ひや》のように早く真直に飛び、或いは立木の葉簇《はむら》の輪郭をなぞって、高く低く目まぐるしく飛んだ。そして果ては一本の木にかたまって、その木をクリスマス・トリーのように輝かした。

マラリア患者は唸っていた。正確に呼吸のリズムを追い、人間に呼吸の必要を思い出させるような、そういう規則正しい呻きであった。

「おい、おっさん、寝たのか」

と近くで声がした。さっき私から玉蜀黍を貰いそこなった若い兵士の声である。私が呼ばれたのかと思い、ちょっと頭をもたげたが、やがて「うん」と彼と同じ中隊の安田が答える声がした。

「なあ、俺達はどうなるんだろうなあ」

「うるせえな。なん度同じことをいやがるんだ。なるようにしかならねえさ」

「そりあ、そうだが――お前は要領がいいから羨しい。俺なんか……」

「なんとか工面して来るんだよ」

「工面たって。俺あお前みたいに煙草は持ってねえし、脚気《かっけ》で歩けねえし」

「俺よか歩けるさ。こんなとこでまごまごしてねえで、何処《どこ》かへ土民の畠《はたけ》でも見つけに行くんだよ。俺だって潰瘍《かいよう》さえ癒《なお》りゃ、こんなとこで衛生兵の御機嫌《ごきげん》なんかとっちゃいねえ――ええ、畜生」

「おっさん、痛いか」

「痛いよ」

「困ったな。まあ俺がついててやるから、安心しな」

「大きにお世話だ。ついてたってなんにも出ねえぜ。（私は彼が夕方若い兵士に芋を与えなかったのに気が附いていた）何故《なぜ》どっかへ勝手に食い物を探しに行かないんだ。ええ」

「淋《さび》しいんだよ」

「馬鹿《ばか》やろ、お前いくつだ」

「二十二さ。去年検査で第二乙さ」

「二十二なら立派な大人だ。なあ、おい、こうなったら、めいめいが自分で命を継《つな》いで行くよりしようがねえんだ、他人のこた構っちゃいられねえ。人間、草の根食ったって、ひと月やふた月は生きられるはずだ。そのうちにゃ……」

「そのうちにどうなるね」

「なんとかなるさ、馬鹿やろ。そんな先のこと考えたってどうなるものか」

「おっさんは齢《とし》も行ってるし気が強いが、俺あもういっそ死にたいよ」

「死にたきゃ死ね」と相手は少し間をおいてから答えた。

「なあ、おっさん、俺の一生の秘密を話そうか」

「聞いたってしようがねえよ」

「そういうなよ、実はな、今まで誰《だれ》にもいわなかったがね、俺は女中の子なんだ」

「うるせえな。それがどうしたんだ。珍らしくもねえ」

「そうか知ら、でも俺はまだ誰も女中の子だって奴に会ったことがねえが」

「誰もお前みたいに自慢しやしねえさ、映画や小説にはあらな」

「うん『瞼《まぶた》の母』ってのを見たが、俺あいやになっちゃってね」

「なんだってお前、今頃不意にそんなこといい出したんだ」

「何故ってないが、ただちょっとね。いっておきたくなったのさ……阿母《おっかあ》は追ん出されたんだそうだ。俺はなんにも知らずおやじの家にいたが、俺がぐれ出したら、お袋がそれをいやがった」

「ふーん、何でぐれたんだ」

「何でもねえさ、友達と喫茶店へ行ったり映画を見たり……パチンコやったりしてね」

「おやじの商売はなんだ」

「かじ屋さ。深川白河町の交番の傍《そば》だ——そいでかっとなって俺あ家を飛び出しちゃった。それから知り合いの喫茶店のバーテンになったり、コックになったり……」

「ふーん、結構じゃねえか。男一匹一人で食って行けりゃ、女中の子でもなんでも差し支えねえわけだ」

「でも、阿母に会いたくってな」

「阿母はどうした」

「暫く千葉の田舎へ帰っていたが、松戸でかたづいてる先をおやじにきいたから、訪ねて行った」

「…………」

「そしたら、何故、そんな勘当同然の身体《からだ》で、あたしの家へ来たか、っていやがった。そこんちは傘屋《かさや》で、丁度亭主は留守だったが、どうしてあの人お前にあたしの家を教えたんだろうって、大変な権幕よ」

「よくある話だ。なんだってそんなこと、今頃いい出したんだ」

「俺はかあっとなって、そこを飛び出しちゃって」

「よく飛び出す野郎だ。じゃ、そいでいいじゃねえか」

「その帰りに公園で『瞼の母』を見たが、途中で俺あいやあになっちゃってね。見ていられなかったよ」

「泣いたのか」

「泣くどこじゃねえよ。いやあになっちゃってね。飛び出しちゃったよ」

暫く沈黙が続いた。やがて安田がいった。

「じゃ、こんどは俺の話をしてやろうか」

「え、おっさんも女中の子か」

「馬鹿やろ。俺じゃねえ、俺が生ませた子だ」

「…………」

「学生の時出来た子だ。おやじに見つかって、別れさせられた。つまりは俺が意気地がなかったわけだが、口をきいた兄貴が、感心にその子を里子へ出して育ててくれたんだ。俺にゃなんにもいわずにね。俺あ学校出るとすぐ田舎へ勤口《つとめぐち》を当てがわれて、追っ払われたから知らなかった」

「兄さんにも子供はあるんだろう」

「そうさ。がその時はまだなかった。おやじにも内証で兄貴が育ててくれた。おやじが死んでから、家へ引き取って、俺の子だって打ち明けやがった。しかし一生親子の名乗りはさせないってね」

「ふーん、その頃はおっさんも、もう結婚してたんだろうな」

「そうさ――その子がまたよく出来やがるんだ、兄貴の子よりずっと出来る」

「おっさんの子供たあどうだ」

「俺の子より出来る」

「今いくつだ」

「十七。少年航空兵を志願したはずだ」

「えっ」

「この三月俺が出征する時、俺あ隊まで会いにいった。俺あ自分からは、なんにもいわなかったが、帰る時そいつ『お父さん、お達者で』っていやがった」

「お前は悪いおやじだな」

「ふん、しようがねえさ。少年航空兵は自分からいい出して志願したらしいが、今頃この辺の空で——やってるかも知れねえ。俺もそういう子だから、いっそ……」

「そういうのはねえ。死んだ方がいいということはねえ。お前は悪い奴だ。罰が当るぞ」

「そうさ、だからこれからフィリピンで野垂れ死するところさ」

鼻を鳴らす音が聞えた。

「まあ、泣くな。しようがねえさ」

「お前みたいな親がいるとすると、俺がこんな目に会うのもあたり前だ。俺のおやじも阿母も、俺が死ねばいいと思ってるかも知れねえ」

「まあ、そうとも限らねえ、泣くなっていうのに。死ぬなお前ばかりじゃねえ」

「俺あお前がいやになった」

「ふん、いやなら勝手にしやがれ」と安田は打ち切るようにいったが、少したって
「だから、あいつと一緒に死ぬっていってるじゃねえか」と呟《つぶや》いた。

「あーあ」と誰かが溜息《ためいき》をした。私はこれほど単純な絶望の声を聞いたことがない。

それはかなり太くて低い、しかし響のない乾いた声で、長く後を引いた。七人の仲間の誰が放った声か、推測することは出来なかった。それほどそれは人間の声と似ていなかったのである。

「まあ、な」と安田の声がまた聞えた。「まあお前もなるたけ俺のそばにいるがいい。出来るだけなんとかしてやるからな」

「ほんとか、おっさん。でも……」

「でも、なんだ」

「でも、なんだかお前は怖《こえ》えな」

「一緒にいろ。でも働くんだぞ。明日は医務室へ行って、何でも手伝うんだ、水汲みでも、飯盒《はんごう》洗いでも、なんでもいい。何かやりさえすりゃ、たとえ芋の一本でもくれ

るんだ。わかったか」

「わかったが……出来るかな、俺みたいな脚気に」

「何でもいい、やるんだ、馬鹿」

そしてあとはひそひそ話となった。こうして私はこの若い気の弱い女中の子が、シニックな女中強姦者《ごうかんしゃ》の養子となったのを了解したが、この動物的な軍隊の余剰物の中に、まだこういう劇が行われる余地があるのを意外に思った。私はこれからまだ悪化すると思わねばならない状況の裡《うち》で、この速成の親子の辿《たど》る運命を知りたいと思い、実際奇妙な偶然からその目撃者となることになったが、しかしそれは何という結末であったろう。

私は眠りに入ろうとしていた。様々な意味で多事であったこの日一日のことが思い出された。私を打った分隊長の厚い唇《くちびる》、給与掛曹長《そうちょう》の細い眼《め》、慴《おび》えたような僚友の眼が、次々に現われては消えた。それは私の側からは何の感情も伴わない純粋な映像であった。戦場にあっては、或いはこれが最も正しい、ものの見方であるかも知れない。

やがて野火の映像が現われた。それは視神経が暗い瞼の裏に放射する光の文様《あや》に、私の半ば眠った脳髄の恣意《しい》が附与するところに従って、自由な変形を受けていた。芝居の書き割りのような乾いた空を背景に、川向うの野火の煙は、出発する旧式の機関車が吹き出す蒸気のように、ポッポと断続して騰《あが》っていた。丘の上の煙は、折釘《おれくぎ》のように直角に折れ曲って、折れた先は磁針のように、絶え間なく不安に揺れた。私は無論怖《おそ》れてはいなかった。

私はこの幻像が眠りの前奏曲をなすものであることを知っていた。そして実際まもなく眠りに落ちた。

物音によって目を覚した。あたりは暗かった。罵《ののし》る声に混って濡《ぬ》れた布を叩《たた》くような音が、医務室から聞えて来た。私はやがて、それが頰打《ほおうち》の音であるのを意識した。医務室の扉《とびら》が開かれ、蠟燭《ろうそく》の光が一瞬夜に溢《あふ》れた。一つの人影が突き出されて来た。前額部に角のような瘤《こぶ》が出ているのを私は認めた。例の芋一本の兵士が食糧を盗みに入り、発見され、制裁を受けたのは明白であった。（明日俺達はみんな追払われるかな）と思いながら、私は再び眠りに落ちた。

七　砲　声

次に眼を覚したのは、砲声によってであった。夜は殆《ほと》んど明け放れていた。音と煙が川の方の空に満ちていた。炸裂音《さくれつおん》がその空を狭くし、ぐいとこっちへ近づけた。砲声は激しく、間近になり、ゴロゴロと遠雷のような唸《うな》りが交り始めた。丘の彼方《かなた》、私が出て来た中隊のあたりの空に、偵察機《ていさつき》が一機、獲物を狙《ねら》う鳥のように、小さな円を描いて旋回していた。砲撃はそこに加えられているらしかった。

みな起き上った。医務室から軍医と衛生兵が出て、丘の彼方を眺《なが》めていた。

ビュルルーと砲弾の飛ぶ音が聞え、昨日私が野火を見たあたりの野に、高い土煙が上った。一種の声があたりに起った。軍医達は中へ入り、やがて銃を持ち装具をつけて現われた。そして一散に駈《か》けて来た。

弾はぐんぐん弾着を延ばし始めた。軍医と衛生兵は我々の傍を駈け抜け、谷間の奥へ向った。まるで弾着の延びる早さを、駈けて凌駕《りょうが》することが出来るかのように。我々の中の二、三人が続いた。昨夜盗みを試みた兵士だけ、額に瘤をつけたまま、反対に医務室に向って突進した。咄嗟《とっさ》に食糧を掠《かす》めようというのであろう。患者が小屋から溢《あふ》れ、思い思いの方向に散らばって行った。

マラリアの兵士は草に俯伏せて動かなかった。肩に触れてみて、私は彼が死んでいるのを認めた。

私はひとり林の奥へ進み、泉の傍の小径《こみち》から丘を上った。私は漠然《ばくぜん》と弾の来る方角と、横に行けばいいと考えていた。

ジグザグの道を半町ばかり駈けるように上って、谷間を見晴らす曲り角で立ち止った。逃げ出した患者達は力を失い、豆を撒《ま》いたように、玉蜀黍畑《とうもろこしばたけ》の畦《あぜ》の間に倒れて動かなかった。砲撃は続いていたが、弾の落下点はわずかに病院の小屋に達しなかった。敵発火点は不明であるが、これが我々の今まで受けた迫撃砲撃とは違い、組織的な攻撃であることは明白であった。或《ある》いは上陸前の艦砲射撃かも知れない。レイテ西海岸の平野は浅く、我々は海岸と四粁《キロメートル》と離れていなかった。

医務室の裏から煙が出た。煙は渦巻《うずま》いて軒下でたゆたい、やがて太い捩《ねじ》り合わされた一条となって、立ち上った。窓の奥に赤いものが見えた。

衛生兵が日本軍の習慣に従い、見棄てる陣地に火を掛けて行ったのか、或いはあの衆に逆《さから》って食糧を取りに入った病兵が、火を失したかであった。

左手に逃げて行く兵士の群は、並足となって、谷間の奥に孤立した一つの丘を目指して進んでいた。その丘の禿《は》げた頂上から、一条の細い煙が、朝の微風になぶられて、ためらうように揺れながら、次第にその勢を増しつつあった。

砲声は止《や》んだ。小屋は今は太い火束となって、盛んに燃えていた。火の中から、しゅるしゅると水の流れるような音が、聞えて来た。風はなく、煙は真直に突立って、私の眼の高さの中空から、扇形に開いた。

私の今取るべき最も英雄的な行為が、再び谷へ下り、倒れた傷兵を助けることにあるのは明白であった。しかしその時私の感じた衝動は、私自身甚《はなは》だ意外とするものであった。

私は哄笑《こうしょう》を抑えることが出来なかった。

愚劣な作戦の犠牲となって、一方的な米軍の砲火の前を、虫けらのように逃げ惑う同胞の姿が、私にはこの上なく滑稽《こっけい》に映った。彼等は殺される瞬間にも、誰が自分の殺人者であるかを知らないのである。

私に彼等と何のかかわりがあろう。

私はなおも笑いながら、眼の下に散らばった傷兵に背を向けて、径を上り出した。もしこの行為の直接の結果が、さしあたり私自身の生命を延ばすことでなかったなら、私の足取りはさらに颯爽《さっそう》としていたろう。

目指す朝焼の空には、あれほど様々の角度から、レイテの敗兵の末期《まつご》の眼に眺められた、中央山脈の死火山の群が、駱駝《らくだ》の瘤のような輪郭を描いていた。

名状し難《がた》いものが私を駆っていた。行く手に死と惨禍のほか何もないのは、既に明らかであったが、熱帯の野の人知れぬ一隅で死に絶えるまでも、最後の息を引き取るその瞬間まで、私自身の孤独と絶望を見究めようという、暗い好奇心かも知れなかった。

八　川

幾日かがあり、幾夜かがあった。私を取り巻く山と野には絶えず砲声が響き、頭上には敵機があったが、私は人を見なかった。

私がさまよい込んだ丘陵地帯は、ブラウエン、アルベラ、オルモックの各作戦地区を頂点とする三角形の中心に近く、いわば颱風《たいふう》の眼のように無事であった。

或《あ》る明方北西に砲声が起り、青と赤の照明弾が、花火のように中空に交錯するのが見られた。その夜頂上から見渡すと、輝かしい燈火が、見馴《みな》れたオルモックの町の輪郭を描いていた。西海岸唯一《ゆいいつ》の友軍の基地にも、米軍が上陸したのである。

糧食はとうに尽きていたが、私が飢えていたかどうかはわからなかった。いつも先に死がいた。肉体の中で、後頭部だけが、上ずったように目醒《めざ》めていた。

死ぬまでの時間を、思うままに過すことが出来るという、無意味な自由だけが私の所有であった。携行した一個の手榴弾《しゅりゅうだん》により、死もまた私の自由な選択の範囲に入っていたが、私はただその時を延期していた。

熱帯の陽《ひ》の下に単調に重畳した丘々を、視野の端に意識しながら、私は無人の頂上から頂上をさまよった。

草の稜線《りょうせん》が弧を描き、片側が嶮《けわ》しく落ち込んでいるところへ出た。降りると、漏斗《ろうと》状《じょう》の斜面の収束するところに木が生え、狭い掘《ほ》れ溝《みぞ》が、露出した木々の根の間を迂《まわ》っていた。空谷はやがて低い崖《がけ》の上で尽き、下に水が湧《わ》いていた。

崖の底の一つの穴から、吹き出すように湧いた水は、一間四方ほどの澄んだ水盤を作っていた。私は岸に伏し、心行くばかりその冷い水を飲んだ。

水は細い瀬を作って、次の水盤に移り、また瀬となって、流れ出していた。小さな道が流れに沿って下っていた。私は降りて行った。流れが漸《ようや》く音を立てるあたりで、道はそれを横切った。

流れは暗い林に入り、道は林を迂廻《うかい》した。林の奥で滝音が近づき、後になった。不意に水は林を破って迸《ほとばし》り、再び道に沿い出した。

前方に竹が密生していた。真直な幹をすかして陽光が輝き、崖に出た。新しい谷が横わっていた。広い水が礫《こいし》の上を流れていた。私が伝って来た細い流れは、竹林の切れ目から、早瀬となって落ち込んでいた。

河原には日が照り、嶺線《れいせん》に切り取られた輝かしい空を、雲が渡った。岸の斜面に竹が盛んに生い繁《しげ》って、柔かな緑を風に揺っていた。雨季の増水の名残であろう、流木が砂と礫の上に干《かわ》いていた。その間に、わずかに踏み固められた一条の道について、私は降りて行った。

川は気紛《きまぐ》れに岸に当って淵《ふち》を作り、または白い瀬となって拡《ひろ》がった。日暮に暗い淵の蔭《かげ》で河鹿《かじか》が鳴き、夜明には岸の高みで山鳩《やまばと》が鳴いた。

道は或る時、岸に登り、蔓草《つるくさ》を縦横に張りめぐらした、叢林《そうりん》の中を行った。夜、林に寝ると枕《まくら》の土が青白く光った。掬《すく》って見る掌《てのひら》の上でも、蛍《ほたる》のように光り続けた。それはいつの時代にか、この場所で死んだ動物の体から残った、燐《りん》であろうと私は空想した。

或る時、川は岸からかしいだ大木の蔭で、巨大な転石の間を早瀬となって越し、渦巻いていた。私は靴《くつ》を脱し、足を水に浸した。足の甲はいつか肉が落ち、鶏の足のように干からびて、水に濡れにくかった。手の皮膚も骨に張りつき、指の股《また》が退いて、指が延びたように見えた。

死は既に観念ではなく、映像となって近づいていた。私はこの川岸に、手榴弾により腹を破って死んだ自分を想像した。私はやがて腐り、様々の元素に分解するであろう、三分の二は水から成るという我々の肉体は、大抵は流れ出し、この水と一緒に流れて行くであろう。

私は改めて目の前の水に見入った。水は私が少年の時から聞き馴れた、あの囁《ささや》く音を立てて流れていた。石を越え、迂回し、後から後から忙しく現われて、流れ去っていた。それは無限に続く運動のように見えた。

私は吐息した。死ねば私の意識はたしかに無となるに違いないが、肉体はこの宇宙という大物質に溶け込んで、存在するのを止めないであろう。私はいつまでも生きるであろう。

私にこういう幻想を与えたのは、たしかにこの水が動いていたからであった。

九　月

さらに幾夜かがあった。中隊を出る時三日月であった月は、次第に大きさと光を増して行った。片側の嶺線からのぞき込むように現われると、谷を蔽《おお》う狭い空をさっさと越え、反対側の嶺線に隠れた。そして光だけ、長く対岸に残っていた。その整然たる宇宙的運行は、私を嘲《あざ》けるように思われた。

片側の斜面が尽きて横谷が現われ、流れ出る水が落ち合って、河原を拡げていた。

二つの水の間の三角の段丘に、椰子《やし》が群れていた。葉柄《ようへい》の集まる梢《こずえ》に、実が小児の頭のように円みを並べていた。しかし幹は高く、衰えた私の体では攀《よ》じることは出来なかった。

葉扇は戞々《かつかつ》と風に鳴った。私は根方の草に寝て眼をつぶり、その音だけを聞いていた。私は飢えを意識し、手に当る草を採ってその根を嚙《か》んだ。口中が痺《しび》れた。

夜、月が数々の葉末を剣のように光らした。空はそのあわいに藍色《あいいろ》に澄んで、満月に近い月を、高く冷たく浮べていた。

私が命を断つべきは今と思われた。香《かぐ》わしい汁《しる》と甘い肉を持つ果実が頭上にあり、ここで私は徒《いたず》らに飢えている。もし私がいつまでもここを去らないなら、やがて樹幹に醜くしがみついて、息絶えねばならぬかも知れぬ。まだ自分の行為を選ぶ力が残っているうちに、自分に出来ることをするべきではなかろうか。

輝く月光の行きわたった空が、新しい渇望《かつぼう》をもって私の眼を吸い込んだ。私はこの感覚を知っていた。渇望は容易に「生への執着」と呼び得るものであるが、それが私の胸に起す感覚は、私の平穏な生活の過去において、既知のもののように思われた。幾度か私はこういう空を、違った緯度の下で、似通った気持で眺めたことがあった。

私は過去を探り、その時を確めようとした。記憶はなかなか来なかった。その時私は私を取り巻く椰子の樹群が、変貌《へんぼう》しているのに気がついた。

それは私が過去の様々な時において、様々に愛した女達に似ていた。踊子のように、葉を差し上げた若い椰子は、私の愛を容《い》れずに去った少女であった。重い葉扇を髪のように垂れて、暗い蔭を溜《た》めている一樹は、私への愛のため不幸に落ちた齢進んだ女であった。誇らかに四方に葉を放射した一樹は、互いに愛し合いながら、その愛を自分に告白することを諾《がえん》じないため、別れねばならなかった高慢な女であった。彼女達は今私の臨終を見届けるために、ここに現われたように思われた。

私は改めて彼女達と快楽を共にした瞬間を思い浮べた。或る女の腿《もも》は別の女の腕の太さしかなかった。しかし快楽の味わいは、死に近づいた私の肉体のメカニスムによって思い出に入り得ず、それに先立った渇望だけが思い出された。

私は月光の渡った空への渇望が、或る女が私が彼女を棄てる前に私を棄てた時、私の感じた渇望に似ていることに思い当った。私の手の届かないところへ去った女の心と体に、私は手が届かないという理由で、ひたすら焦《こが》れた。

して見れば今私があの空に焦れるのは、及び難いと私が知っているからであろう。私は自分が生きているため、生命に執着していると思っているが、実は私は既に死んでいるから、それに憧《あこが》れるのではあるまいか。

この逆説的な結論は私を慰めた。私は微笑《ほほえ》み、自分は既にこの世の人ではない、従って自ら殺すには当らない、と確信して眠りに落ちた。

一〇　鶏　鳴

二日の後、私はその椰子の林を去った。立ち上るのには努力を要したが、一度立ってしまえば、後は機械的に足が運ばれた。

私の眼はしかし依然として、樹《き》に実を求めていた。観覧席のように河原に臨んだ斜面の林の中に、私は眼を凝らして球形の懸垂物を探していた。無駄《むだ》であった。熱帯の狂わしく繁った緑が、どぎつく陽を照り返しているばかりであった。常夏《とこなつ》の国の天然の恵みに関する、北方人の空想を私は嘲《あざけ》った。

褐色《かっしょく》の石がごろごろした河原を、私はどこまでも下って行った。岸の土から石油らしい黒い液体が、艶《つや》のある雑色の模様を浮べて滲《にじ》み出て、流れに達することなく、砂に吸い込まれていた。

川は次第に広く、岸に草原が発達して、芒《すすき》が輝き出した。人間のように群がって、河原の最もささやかな堆土《たいど》にも、根を下しに来た。繊毛が風に立ち、花穂《かすい》の周囲に戯《たわむ》れて、それから遠い空間に撒開《さんかい》した。

一つの丘があった。両側を細い支流に区切られて独立し、芒が馬の鬣《たてがみ》のように、頂上まで匍《は》い上っていた。その形を私は何故《なぜ》か女陰に似ていると思った。

私の足はその丘に向った。道があり、一条に芒の連る線を真直に上っていた。紅土《あかつち》を露出した道は、草根の発達した土から、五寸ばかり深く刻まれていた。

刻まれた側面は凹《へこ》んだ短い弧の連続で、明らかにシャベルの背の曲線を示していた。この淋《さび》しい谷に見る人間の道具の跡は、私を戦慄《せんりつ》させた。

その時私は耳に鶏鳴を聞いた。丘の上から、静かな午後の空気を引き裂いて、けたたましく、続けて鳴いた。

シャベルの跡と鶏鳴――この結合から私に来た観念は「比島人」であった。つまり我々侵入者を懲《こ》らしめようと、常に用意している危険な存在であった。しかし私は上り続けた。

頂上で芒の列は尽き、鞍状《くらじょう》の草原が延びて、先に黒い喬木《きょうぼく》を並べた木立が見えた。鶏鳴がまたその奥でした。

道はやはり草原に深く刻まれて、木立に到《いた》っていた。その緑の蔭の中に、門柱のように二本の丸太が立っているのが見えた。そこを通ると、道は二叉《ふたまた》に分れ、庭園風の人工的な曲線を描いて、一つの叢《くさむら》を挟《はさ》んでいた。先に陽が光っていた。静かであった。叢を廻《まわ》った向うに家があり、人と鶏がいるのはたしかと思われた。一瞬逡巡《しゅんじゅん》が私を捉《とら》えたが、銃を取り直し、押されるように、光の中へ出て行った。

意外な光景が私を待っていた。斜面が開け、大木の枯れた樹幹が、半町ばかり嶮しく降った下まで、縦横に横わっていた。底に一方が開いた窪地《くぼち》があり、それを越した対面に、同じような倒木を持つ斜面が匍い上って、林に囲われていた。

人はいなかった。一軒の小屋が斜面を見晴し、数羽の鶏が軒に近い一樹にとまって、近づくと、また鳴いた。樹は萩《はぎ》に似た楕円形《だえんけい》の細かい葉をつけ、軒よりわずかに高かった。

鶏は瘦《や》せた黒い比島の鶏であった。やはり飼鳥であろう、人を怖《おそ》れる様子はなく、ひとしきり鳴き交すと、あとは黙って、一斉《いっせい》に横顔を向けてじっとしていた。

一瞬私は極楽鳥の幻影を見た。眼の高さから交互に生えた枝に、一枝に一羽ずつとまった規則性も、この世のものでないように思われた。

しかし私が次に考えたのは、やはり彼等《かれら》を捕えることであった。私は日本の鶏のように肥満していない彼等が、よく飛ぶのを知っていた。私は慎重に近より、不意打しようとした。しかし、彼等は私が手を延ばす前に一斉に飛び立ち、遠い地面に降りた。

私は地に伏して銃を構え、慎重に覘《ねら》って撃った。彼等はグライダーほどの角度で飛び立ち、斜面を下へ、遠く飛んで着陸した。そしてさらに短く連続して鳴きながら、駈《か》けて行った。

やるせない思いが胸を走った。膂力《りょりょく》なく射撃をよくしない私は、かつて椰子の根方に無為に横わっていたように、今はこの極楽鳥を目の前に、飢えていなければならないのである。

鶏は斜面の下の遠いところを、射撃者を無視した足取りで歩いていたが、時々立ち止り、地面についばんだ。何を食べているのであろう。いや、あそこに食べるものがある。

しかし倒木の間を下りて行きながら、私は鶏の食べているものを確める必要がないのを知った。根株の間に到るところ、カモテ・カホイ（木の芋）と呼ばれる、木のような高い茎を持つ芋が植えてあった。蔓芋の葉も匐っていた。私はすぐカモテ・カホイの直立した茎の一本を倒した。地下茎が千成瓢箪《せんなりびょうたん》のようについていた。手で土を払いかじった。

芋は歯の間で崩れるように嚙みくだかれて喉《のど》を通った。何本目かで私は漸《ようや》くその甘味を感じ、窪地へ降りて、そこを流れる水を飲み、芋についた土を洗い落す余裕を持った。

水は窪地の奥に湧いていた。いぼのように火山灰を盛り上げて吹き出し、薄く膜のように溜《たま》っていた。周囲は小枝を挿《さ》して囲ってあった。流れの下に私は里芋の特徴ある葉と茎を認めた。ここは比島人の山の畠《はたけ》だったのである。

日本の敗残兵が食糧を漁《あさ》っているこの山間に、こういう畠が残されていたことは奇《き》蹟《せき》に近かった。もし私がロビンソン・クルーソーであったら、ここで土に跪《ひざまず》いて神に感謝を捧《ささ》げたであろう。極東の無神論者にとっても、これは確かに何者かに感謝すべき情況であったが、何に感謝していいか、私にはわからなかった。

豆もあった。灌木《かんぼく》ほどの高さに育ち、鉈状《なたじょう》の房が褐色に熟れてはじけ、小さな黒い粒を露出させていた。（鶏が啄《ついば》んでいたのは、この豆の地上に落ちたものであった）。また或る草は蛇苺《へびいちご》のような赤い小粒をつけ、トマトの味と匂《にお》いがあった。

飽食した私は再び小屋へ上って行った。小屋は竹の柱に茅《かや》を屋根としていた。埃《ほこり》が匂い、床が軋《きし》んだ。土間には土を築いた簡単な竈《かまど》があり、二つ三つこわれた土器が倒れていた。割竹を並べて上げた床には、花模様を刺繡《ししゅう》した洋風のクッションのほか、何もなかった。私はその不思議なクッションを枕にすると、忽《たちま》ち深い眠りに落ちた。

一一　楽園の思想

こうして私は飽満の幾日かを過した。周囲に聞く砲声はだんだん稀《まれ》になって行った。殊《こと》に南方の音は全く絶えた。私はその方面の日本軍が全滅し、叢林に屍体《したい》の横わった大領域を空想したが、私自身がこの楽園に生きながら、友軍が滅びたと空想したのはかなり奇妙である。或《ある》いは私は同胞の死を望んでいたのであろうか。それならば私は私の飽満の先に、死を予期していたのである。

しかし死には間がありそうであった。小屋の附近でも芋の木はまだ二十本以上あり、窪地の向うの斜面も、イタリヤの松のような笠葉《かさば》をのせた形で蔽われているのが望見された。一日二本ずつ倒すとしても、ひと月は十分である。

私は無駄を出さないため、剣で丁寧に根を切り取り、水で洗い、皮を剝《む》いた。火がなく、何でも生で食べねばならぬのが、私の楽園の唯一《ゆいいつ》の欠点であったが、それはよく咀嚼《そしゃく》すれば、補えると思われた。こうして一日のうち、食事の時間の占める割合は、かなり大きくなったが、やはり下痢が始って来た。

鶏は朝晩小屋に集って軒端《のきば》に寝た。今や彼等は私の唯一の友であった。彼等はかつて私に狙撃《そげき》されたのを忘れたらしく、平然と傍《そば》へ寄って来た。私は終日彼等を観察して、彼等が決して眼《ま》ばたきをしないのを発見した。

しかし私は退屈した。もし私がこの比島人の畠で一生を暮すことが望めたら、私は私の乏しい農業の知識を動員して、作物の維持を工夫したであろう。しかし私がこの畠を所有していない以上、それは望めなかった。

例えば私はまもなく小屋には夜だけ寝ることにして、昼間は背後の林中に、相手から見出《みいだ》されることなく、自分からは私の楽園全体を見渡せる地点を選んで、横わることにした。畠の持主たる比島人が、いつ帰って来るかわからないという危険に気づいたからである。要するに私は一個の不安な旅行者にすぎなかった。

米機も私の楽園の訪問者であった。或《あ》る時は澄んだ音で空を満たして、編隊が高く飛び、或る時は突如空気を破るような音で、単機が樹の梢をかすめて去った。操縦士は原色のスカーフを首に巻き、人形のように前方を向いたまま、不動で過ぎた。その孤独な様子が私の裡《うち》に一種の共感を呼び起した。これは病院を出て以来私の初めて見る人間であった。しかしそれが私の最も恐れねばならぬ敵なのである。この事実には楽園の飽満にあって、何か納得が行かないものがあった。

空には遠く近く、いつも爆音があった。様々の音色を持った音の中で、一つポンポンと軽く断続する音があった。これは航空機にはあり得ない音である。むしろモーター・ボートの音に近かった。ではどこかに海があるのだろうか。

私は改めて私の現在地を反省した。病院が砲撃されてから幾日経《た》ったか、あてどなく歩く間に、計算を失していたが、凡《およ》そ十日であろう。私の伝って来た谷は、月がそれを直角に渡ったところをみれば、南北に横わっていた。その谷を私は十二粁《キロ》北上したと思われる。結局私は現在中隊の宿営地から、約二十粁北方にいるはずである。

中隊は当時オルモックから四十粁南方にあったから、私はほぼその中間にいるわけである。海岸との距離は不明であるが、中隊の宿営地からの距離、つまり八粁とみて大過あるまい。

北極星の位置から判断すると、私の小屋は東北に向いている。してみれば向うの斜面は西南、つまり海に面しているわけである。

私はこの事実に気がつかず、こっちの斜面で芋に不足しないまま、向うの斜面に行って見なかった私の怠惰を悔いた。

切り倒された大木がそのまま橋となり、窪地をかなりの高さで越えていた。樹皮のはげた幹の下面には苔《こけ》がついていた。その滑り易《やす》い上面をそろそろ渡りながら、私は既に海の微風を頰《ほお》に感じるように思った。

そして海はたしかにそこにあった。窪地から流れ出した水は谷を開いて、海に向っていた。山地林は麓《ふもと》で尽き、先の平原には、恐らく私がこの丘に上るために見棄てた谷川が右から現われ、野を斜めに切って、また前方の林の蔭《かげ》に隠れていた。その林の上に、二つの岬《みさき》に抱かれた湾が、静かな水を湛《たた》えていた。

断続した爆音はその沖でしていた。船は見えなかったが、音は岬の蔭から、平らな海と野に反射し、空を渡って、真正面に吹きつけて来た。

二つの岬を形づくる丘の脈は、風景の両側に、競うように緑にふくれた頂を重ねながら、この山地までつながって来た。岬の形は見覚えがなかった。我々がオルモックから海岸沿いに南下し、初めて山へ入った地点より、さらに南に当るのであろう。

湾の底部には人家があるかも知れなかったが、林に遮《さえぎ》られて海岸は全然見えなかった。視野に人家がないことは、むしろ私を安堵《あんど》さした。ただ林の緑の上に、一つ光るものは何であろうかと疑問を残して、私は小屋に帰った。

一二　象　徴

それから毎日、倒木を渡ってこの斜面に坐《すわ》り、海を眺《なが》めるのが私の日課となった。

群島にかこまれたカモテス海は静かであった。夕方、かつて私の駐屯《ちゅうとん》したセブ島の山々が、内海を飾る三角の小島のうしろに、巨大な影絵を浮べた。その上に空は夕焼け、真紅の雲が放射線をなして天頂まで、延びて来た。海は次第に暗く、セブは霞《かす》んで来た。私は我慢して小屋に帰った。

朝は波の縞《しま》が誘うように、沖へ逃げた。しかし私はやはり我慢しなければならなかった。

海岸の林の上に光るものは、夕方それが太陽と私の間に位置を占める時、殊によく光った。棒状に白く突出する状態から、まず枯れた梢《こずえ》と推定されたが、それはどこか、我々が通常樹木に感じる美感の根柢《こんてい》をなす、あの自然さを欠いていた。

或る日私はその形を確かめるために、私の位置を替えることを思いついた。畠が林に尽きるところまで、二十間ばかり右へ行った時、私はその棒の、上から少し下ったところの両側に、かすかに耳が出ているように思った。その形を私は即座に認知した。十字架であった。

私は戦慄した。その時私のおそれていた孤独にあっては、この宗教的象徴の突然の出現は、肉体的に近い衝撃を与えた。

十字架は恐らく林の向うの、海に臨んだ村の会堂の頂を飾るものであろう。会堂は比島の村で常に一番高い建物である。それではあの下にやはり家があり、人がいる。オルモックが陥《お》ちた今、あそこにいる人間が日本人である可能性はまずなかった。湾に船がないところから見て、米軍がいないのは確かとしても、比島人はいるであろう。そして彼等がいくら彼等同士の間で、あの十字架の下で信心深い生を営むとしても、私に対してはすべて敵であった。

私は彼等を少しも憎んではいなかったが、私の属する国が彼等の属する国と戦っている以上、我々の間には、十字架を含めて、何の人間的関係もあり得なかった。我々はいわば物質的な危機の状態にあった。十字架という万国的愛の象徴も、敵に所有されているかぎり、ただ危険の象徴にすぎないのである。

しかし私はその十字架から眼を離すことが出来なかった。黒い飛行機が一機、その上をのろのろと動いて行った。日が傾き、それが一面に霞んだ碧色《あおいろ》に溶け込んでしまうまで、私は坐り続けた。

その夜私は十字架を考えて過した。死を控えながら飽食した私の心の空虚は、容易にこの人間的映像によって占められたのである。

十字架は私に馴染《なじみ》のないものではなかった。私が生れた時、日本の津々浦々は既にこの異国の宗教の象徴を持っていた。私はまず好奇心からそれに近づき、次いでそのロマンチックな教養に心酔したが、その後私の積んだ教養はどんな宗教も否定するものであり、私の青年期は「方法」によって、少年期の迷蒙《めいもう》を排除することに費された。その結果私の到達したものは、社会に対しては合理的、自己については快楽的な原理であった。小市民たる私の身分では、それは必ずしも私の欲望に十分の満足を与えるものではなかったが、とにかく私は倨傲《きょごう》を維持し、悔まなかった。

もし私がこの生活原理を、敗兵の孤独の裡まで持ち続けているとすれば、今更少年時の迷蒙に心を動かされることはないはずであった。遠く見る十字架から眼を離すことが出来ず、これほど思い煩《わずら》うべきではなかった。

私は私の少年時の思想が果して迷蒙であったかどうか、改めて反省して見た。私が人生の入口で神の如《ごと》き不合理な存在に惹《ひ》かれたのは、いかにも私が無知であったからではあるが、その時は生活に即した一つの理由があったのを思い出した。私がすがるべき超越的実在者を呼んだのは、その頃《ころ》知った性的習慣を、自己の意志によっては、抑制出来なかったからである。そして私がその行為を悪いと感じたのは、それが快かったからである。この間に働いていた感情を、私はその後すべて未熟な感覚の混乱として無視していたが、それは果して過ぎ去っていたであろうか。

「恋愛とは共犯の快楽である」の如き西欧のカトリック詩人の詩句に、事実において私が性愛の行為に、少しもそういう実感を持たなかったにも拘《かかわ》らず、私の心の一部が共感した不思議を私は思い出した。

もしこの感情が人性に何の根拠も持たないならば、私がそれを感ずるはずがない。そういう感情を無視した、或いは避けて通った私のこれまでの生活は、必ずしも条理に反したものではなかったが、もしこの感情に少しでも根拠があるならば、以来私のこれまでの生活は長い誤謬《ごびゅう》の連続にすぎない。私はこの点に関し、かつて決定的に考えたことがなかったのに気がついた。

あの快感を罪と感じた私の感情が正しいか、その感情を否定して、現世的感情の斜面に身を任せた成人の智慧《ちえ》が正しいか、そのいずれかである。問題の性質上、ここには折衷というものはあり得ない。

私は小屋の暗い天井を見凝《みつ》めて考え続けたが、解決は見つからなかった。私の考えはむしろ好んで、この異国の神を信じていた頃の日々、その神に遣わされた者の言葉を読み、讃美歌《さんびか》を歌い、欲望なく人を愛していた少年時の、今では安らかと思われる、日々の思い出に停《とどま》った。

翌朝目が覚め、鶏共が軒端の木にとまり啼《な》き交しているのを見ながら、私は自分が初めてこの島に着き、彼等を同じ姿勢で見出した時とは、別の心で眺めているのに気がついた。毎朝の習慣で芋の木を倒した。私は不意にこの動作が全く無意味であると感じた。

この日十字架は林の頂にとまった鳥のように見えた。短い横木を翼にひろげて、今、無益な飛翔《ひしょう》に落ちようとしているように見えた。

あの下に行ってみようかという観念が、私の心をかすめたのはこの時である。しかし次の瞬間、それが私に課するものを考え、私は自分の心を疑った。それはつまり私が敵の中へ行くこと、死ぬことを意味する。私は果して生命を賭《か》けてまで、あの少年時の愛好物のそばへ行きたいと思っているだろうか。たとえ限られた命であるにしても……

もし私が新しい問題に魅せられたにすぎず、もし私が孤独を楽しみ、苦悩と忍耐を愛しているにすぎないとすれば、この迷いのために、死を早めるのは馬鹿《ばか》げている。

渇望《かつぼう》と逡巡《しゅんじゅん》の裡に眺めれば、十字架は一層輝きを増すように思われた。私はもう一度それが十字架であるかどうかを疑ってみたが、無駄《むだ》であった。見凝めれば、その幾何学的な形はますます明らかに、近づくように思われた。

一三　夢

その夜私は夢を見た。

私は既にその村に歩み入っていた。暗い庇《ひさし》の下に色とりどりの菓子や果実を陳《ひろ》げた店が並び、祭でもあるのであろうか、着飾った比島の男女がにこやかに往来していた。彼等は危険人物たる私に少しも気がつかないように見えた。私はそれは私が銃を持っていないからだ、と判断した。

空地に舞台が設《しつ》らえられ、一組の比島の男女が踊っていた。西欧人との混血らしい均整のとれた肉体が、もつれ合い、離れ、様々の煽情的《せんじょうてき》なポーズに停止した。私は見物が一人もいないのに、彼等が踊りに熱中しているのを奇妙に思った。

気がつくと舞台の前だけでなく、市場も空になっていた。私は成程みんな教会へ行ったのだなと思った。

会堂はセブの会堂と同じバジリカ風の長方形の建物で、粗末な前面の頂上には、たしかに十字架が金色に輝いていた。しかしそれは山から見たよりは幾分太く、ふやけたように見えた。私は自分の心に予期した感動が起らないのが悲しかった。

半開の扉《とびら》を押して入ると、群衆が会堂に満ち、跪《ひざまず》いて祈っていた。声なき音楽が、彼等のうなだれた頭の上を渡るらしかった。

祭壇で弥撒《ミサ》を行っている西欧人の司祭の服装から、私はこれが葬式であることを知った。私は中央の通路を進んで行った。祭壇の前に一つの寝棺が、黒布に蔽《おお》われておかれてあった。ローマ字で死者の名が記されてあった。私自身の名前であった。

鋭い悲しみが私の心を貫いた。ではやはり私は死んでいたのである。それなら、今これを見ている私は誰《だれ》であろう。多分私の魂であろう。だから誰も気がつかないのであろう。

私は棺の蓋《ふた》を取り、私自身の死顔に眺め入った。それは鏡や写真で見馴《みな》れた顔より、瘦《や》せて頬が落ちていた。そして幾分絵で見た西欧の殉教者に似ていた。

私の遺骸《いがい》は胸の上に手を合わせていた。私は即座に私が合掌して死んでいるのを、発見されたのだと思った。だから私はこうして敵によってさえ、葬《ほうむ》られているのである。合掌して死んだため聖者として崇《あが》められているのである。

不安の念が私を捕えた。私は果してこれほど崇められるに価《あたい》するであろうか。私の魂はそれほど敬虔《けいけん》であったろうか。

私は再び私の顔を見た。いや、私は生きていた。唇《くちびる》が紅を塗ったように赤く、閉さ

れた瞼《まぶた》は顫《ふる》えていた。私は目醒《めざ》めているのである。眼《め》を開けないのは、死を粧《よそお》ってい
るだけなのである。唇には私のよく知っている、あの冷笑さえ浮んでいる。
「デ・プロフンディス」と突然その唇がいった。
「われ深き淵《ふち》より汝《なんじ》を呼べり」De profundis clamavi――この言葉が私の口から洩《も》れ
たことは、事実私がなお深き淵にあり、聖者でない証拠である。既に会衆もそれに気
がついたらしい。私は私の背に迫って来る彼等の気配を感じる。喧騒《けんそう》が高まる。鐘が
鳴り出した。カラン、カラン、カラン、カラン――叫ぶように中空にあがる姦《かし》ましい
音であった。音は会衆のどよめきと競って、高まって行く。音に連れて、胸苦しさも
つのった……
　私は目を覚した。ブンブンという唸《うな》るような音が耳にあった。夜空を渡る飛行機の
爆音であった。飛行機は翼に赤と青の標識をつけて、軒傍《のきばた》の空を去りつつあった。遅
い下弦の月がその行く手に懸っていた。標識燈はその赤味を帯びた光輝と重なろうと
してわずかに及ばず、その下の空間に小さく暗くなって行った。音だけが断続して、
いつまでも空に残っていた。
　私は了解した。こうしてひとり深き淵に死ぬのはつまらない。殺されるまでも、あ
の会堂に入って、生涯《しょうがい》の最後の時に私を訪れた、一つの疑問を晴らさねばならぬ。

もしこれが一つの啓示であるならば、もし私が聖者であるならば、私は跪くであろう。

日暮から私の寝入ったままでの時間と夢の長さから考えて、夜明にはまだ間があると思われた。すぐ出発すれば、日の出る前に村に入ることが出来るであろう。逡巡が再び私を捉《とら》えたが、私は押し切った。或《あ》る行為をしたいと欲し、結果の確率が不明の場合、私はいつもやってみることにしていたのである。

私は食べ残しの芋を雑嚢《ざつのう》に入れて出発した。鉄兜《てつかぶと》と被甲は小屋に残したが、銃はやはり棄てる気にはならなかった。

一四　降路

その時私のいた丘の高さは約三百米《メートル》、海岸までの距離は約八粁《キロ》と思われた。十字架の見える斜面から発した道は、やがて雑木の林に入った。木の根で自然に作られた階段が、木の間を洩れる鈍い月光に、切れ切れに照されていた。月光に欺《あざむ》かれた山鳩《やまばと》が時々力無く啼《な》いた。

林が尽き、草原が月に照されて傾き、道は草の影を孕《はら》んで黒かった。道はまた木下《このした》闇《やみ》に入った。

干《かわ》いた土が露出した崖際《がけぎわ》を縫い、沢を越え、木立を廻《まわ》って、道はどんどん降りて行った。降りるに従い、歓喜に似た感情が、胸の中でふくれて来るのを私は感じた。

二粁ばかり降りると、広い草の斜面があり、次いで平らな林があって、道は広くなった。月光が木々を斑《まだ》らにしている奥から、水のせせらぎが高まって来た。それは壁越しに聞く人の呟《つぶや》きのように、ひそやかで、しめやかで、親しげであった。

行く手に大きな明るみが近づき、赤土の勾配《こうばい》を降りると、一河のほとりに出た。幅の広い水がきらめいて石を渡っていた。流れの方向は前に私の下った渓流《けいりゅう》と同じであり、先で合流しているものと思われた。

河底の石は沢庵石《たくあんいし》ほどの大きさがあり、苔《こけ》をつけて靴《くつ》の下によく滑った。対岸はまた平らな林が岸まで迫ってきた。

私は木の根に腰を下し、水筒から水を飲んだ。遂《つい》に「平地」に降りたという観念、この漠然《ばくぜん》たる安堵には、私の場合一種の恐怖が混っていた。もし獣が人里に入った時恐怖を感ずるとすれば、それは私のこの時の感情に近かったであろう。

道は人二人通るくらいの幅で真直に林を貫いていた。木々が両側に並木のように梢《こずえ》を光らして並んでいた。私は幾日もこれほど広い道を見たことがなかった。私を怖れさせたのは、この道の持つ人間的な感じであった。

しかし私は行かねばならなかった。歩くにつれて両側の木々はますます明るく、樹皮の斑紋《はんもん》を鮮やかにして行った。私は怖れから物を明瞭《めいりょう》にみる感覚のメカニズムを奇妙に思ったが、私は間違っていた。

林が切れ広い野に出た。月は巨大な赤い歪形《わいけい》となって、遥《はる》かな林の頂にかかっていた。その弱い光は野に充満した乳色の光と違っていた。ここにあるのは、もう黎明《れいめい》の光であった。私が林中の樹皮に見た光が、既にそれだったのである。

その時私のいた地点は、丘から続いた林の端であり、最初の計算では、私の道程の半分に当るはずであった。目的の村まで八粁二時間行程として、私がここまで費した時間は一時間であったろう。これも予定通りであった。ただ私は出発の時刻について、思い違いをしていたのである。

私は眠りから醒めたところであった。私はあたりに月光があるのを見て、夜だと思い、目的地に夜明前に着けると判断したが、実はその時が既に夜明だったのである。

靄《もや》が野を蔽い、正面の林がかすんで見えた。林は私が佇立《ちょりつ》しているうちにも明るさを増した。靄も形を明らかにし、島のようにいくつかの群に分れて来た。右手に厚く延びて動かない一団は、その下の河を示すものらしかった。

視野に家も燈火もなかったが、とにかくこれは人里であり、しかも明るくなりかけていた。そして私は熱帯の朝が、幕をあげるように、するすると明け放れるのを知っていた。

私は初めて悪夢の覚醒時《かくせいじ》の異常な感覚から、こういう重大な行為を決定してしまったことを後悔した。しかしすべてはもう遅かった。この林の縁で次の夜まで待つことは、私を出発させた動機の性質上、不可能であった。

私の眼は我にもあらず林の梢にあの十字架を探したが、既に平地に降りた私の位置からは、それは見えなかった。

私は歩き出した。段々飛びに明るくなって行く野に、私のほかに動くものはなかった。草を踏む靴は露に濡《ぬ》れ、靴音だけが響いた。

私は自分の跫音《あしおと》に追われるように、歩いて行った。私はふと前にも、私がこんな風に歩いていたことがあったと感じた。いつどこであったかは不明であるが、過去の不定な一瞬において、私はやはりこうして歩いていた。異境の不安な黎明を歩くという情況は、確かに私にとって初めての経験のはずであるが、今私の感じている感情は未知ではない。

私は出来るだけ過去に類似の情況を探してみたが、無駄であった。それは記憶の外側の、紙一重のところまで来ていながら、不明の原因によって、中に入り得ないようであった。

事実を思い出すかわりに、私はこういう想起の困難もまた初めての経験ではないことと、近代の心理学で「贋《にせ》の追想」と呼ばれている、平凡の場合にすぎないのを思い出した。既知感だけあって、決して想起出来ないのをその特徴としているが、それは事実既知のものではないからである。ベルグソンによれば、これは絶えず現在を記憶の中へ追い込みながら進む生命が、疲労或《ある》いは虚脱によって、不意に前進を止める時、記憶だけ自働的に意識より先に出るために起る現象である。

この発見はこの時私にとってあまり愉快ではなかった。私はかねてベルグソンの明快な哲学に反感を持っていた。例えばこの「贋の追想」の説明は、前進する生命の仮定に立っているが、私は果して常に前進しているだろうか。時として繰り返し後退しはしないだろうか。絶えず増大して進む生命という仮定は、いかにも近代人の自尊心に媚《こ》びる観念であるが、私はすべて自分に媚びるものを警戒することにしている。事実私の現実の生活において必要なのは、私が前進している自覚ではなく、抵抗物を見きわめ、乗り越える手段を見つけることである。私自身については、巨人的生命の無限の発展などというものを信じるくらいなら、或る超自然的な存在、例えば神による支配を信じる方が合理的だと思っている。

歩きながら、私は自分の感覚を反芻《はんすう》していた。既知の感じに誤りがあるのはたしかとしても、記憶の先行のような機械的な作用からではなく、私の感覚の内部に原因を探したいと思った。

私は半月前中隊を離れた時、林の中を一人で歩きながら感じた、奇妙な感覚を思い出した。その時私は自分が歩いている場所を再び通らないであろう、ということに注意したのである。

もしその時私が考えたように、そういう当然なことに私が注意したのは、私が死を予感していたためであり、日常生活における一般の生活感情が、今行うことを無限に繰り返し得る可能性に根ざしているという仮定に、何等《なんら》かの真実があるとすれば、私が現在行うことを前にやったことがあると感じるのは、それをもう一度行いたいという願望の倒錯したものではあるまいか。未来に繰り返す希望のない状態におかれた生命が、その可能性を過去に投射するのではあるまいか。

「贋の追想」が疲労その他何等かの虚脱の時に現われるのは、生命が前進を止めたからではなく、ただその日常の関心を失ったため、却《かえ》って生命に内在する繰り返しの願望が、その機会に露呈するからではあるまいか。

私は自分の即興の形而上学《けいじじょうがく》を、さして根拠あるものとは思わなかったが、とにかくこの発見は私に満足を与えた。それは私が今生きていることを肯定するという意味で、私に一種の誇りを感じさせたのである。

私を取り巻く野の明るさを、私はそれほど怖れなかった。人々も過去の私も、繰り返して生きていた。しかし死に向って行く今の私は、繰り返してはいない。この確信は私を一種の冒険的勇気に駆った。

一五　命

明るさは急速に増しつつあった。林に行き着き振り返ると、空は既に茜《あかね》から青に移り、遥かに雲に閉された中央山脈の主峰の前に、端山《はやま》が緑を現わし始めていた。その緑の中に褐色《かっしょく》の斑紋を作っているのは、私の出て来た畠《はたけ》であると思われた。私は私のかつての楽園を、昔の女を見るような無関心で眺《なが》めた。

林の中で不意に下草が日光に照し出された。露が輝いた。名も知らぬ鳥がけたたましく鳴き、梢に音が起った。

私はこの林が直接教会の後へ続くものと想像していたが、私はまた誤った。林は切れて、大きな野が展《ひら》けた。両側は岬《みさき》まで続く丘に限られ、一河が斜めに右から左へ貫いていた。そこにこわれた木橋がかかっていた。

私の眼は素速くその野を検討していた。眼につく家も人もなかったが、橋は既に人家が近い証拠であった。遠く正面に控えた林際《はやしぎわ》の湿地に、二頭の水牛が立っていた。数羽の白鷺《しらさぎ》が或いはその背にとまり、或いは近くの土に降り敷いていた。背に止った一羽は、その荷手《にないて》を嘴《くちばし》でつついていた。鷺が水牛の皮膚につく或る種の虫を食べ、水牛が喜んでいるのを、私は知っていた。

この風景の鮮明さは、私に一種の悩ましい感覚を与えた。林際の木の一本一本を、私は歩哨《ほしょう》の注意力をもって点検した。そこに早起きの人影がいるかも知れなかった。左方の丘を縁どる雑木林の前に、一本の枯木が白い樹幹を光らせて倒れていた。その狂わしく空へ張り上げた根の一条一条《ひとすじひとすじ》も、私は数えることが出来た。

私は銃を肩からはずし、斜めに構えて、野に歩み入った。この時不意に私の中に生じた緊張は、山中の十字架に関する私の夢想とも、贋の追想に関する形而上学とも、何の関《かか》わりもないものであった。私は絶えず眼を凝らして、この明確な風景の何処《どこ》かに潜む敵を、彼より先に、発見しようとしていた。

遂に橋まで行き着いた。多分山中の渓流の末である河は、湿地の土を運んで濁り、橋桁《はしげた》の下でゆるく渦《うず》をまいていた。この時も私は不意に射《う》たれるかも知れなかった。

遥か右手の丘の上から煙が上り出した。中隊を出た日私の見た野火と同じく狼煙《のろし》に似て、細く長くゆらめいて、高く上った。私は突然気がついた。私が野火を見た翌朝は、丁度病院が組織的砲撃を受けた日であり、その時我々の大多数が逃げた方向の山からも、野火が上っていたことを。私がこの因果的聯関《れんかん》を、この時に捉えたのは奇怪である。

しかし私はこの時恐れてはいなかった。私は単にあの野火は遠いから、その下にいる比島人は、数分の後私の遇《あ》うべき村の比島人に比べて、恐るるに足らぬと判断した。私は進んだ。

水牛の背にとまった鷺の一羽はゆるやかに羽を拡《ひろ》げると、低く飛んで地に降りた。地に足を触れる刹那《せつな》、またひとしきり忙《いそ》がしく羽を搏《う》ち、二、三歩歩いて、ゆっくり翼を収めた。

風景の底に一つの音が響いていた。それは山でも始終聞いていた断続した爆音で、沖を米軍の内火艇が渡り出したしるしであった。

林に入った。林中の道は湿り、露出した泥岩《でいがん》の傾いた層理に添って、水が流れていた。道傍の木々は私を見守るように並んでいた。道は不意に下り坂となり曲った。そして私は目の前に一つの村全体を見た。

一六　犬

扇状に拡がって、ゆるく海へ傾いた斜面は、三十軒ばかりのニッパ・ハウスによって占められ、一本の道路が真直に降りていた。その正面を限る椰子《やし》の木群をすかして海が光った。

通りに人影はなく、依然として空気を震わせている内火艇の爆音を除き、何の音もなかった。

教会は道路から少し退き、左手の家並の上に、細長い白亜の側面を現わしていた。十字架はたしかにその前面の頂に、色褪《いろあ》せた黄色で、陽《ひ》に照されていた。

私の心の憧《あこが》れていたこのものの、最初の印象を思い出すと、今でも私の胸はうずく。それはどんな感情の色も持たぬ不毛な冷たさで、そこに光っていた。それはたしかに、この視野を構成する雑然たる物体と、なんの違いもなかった。私は跪《ひざまず》く暇がなかった。

私は一本の立木に倚《よ》り、目前の風景で動くものを待った。時間が経《た》った。すべては依然として静かであった。

左手の最も近い一軒の家が汚い横側を見せ、屋根が傾き、木の階段に階《きざはし》が欠けていた。棒が揚戸を支えた窓の内部にも、動くものはなかった。

静けさは大体比島の午睡の時間のそれを思わせた。しかし今は比島人でも活潑《かっぱつ》に動く朝である。（この風景には何か間違ったものがある）と私は感じた。

私はその家に駈《か》け寄り、階の欠けた階段を飛び上って、踏み込んだ。空であった。隅《すみ》におかれた一つの櫃《ひつ》は蓋《ふた》が開き、安物の女の下着や、子供のサンダルなぞが散らばっていた。分銅の夥《おびただ》しくついた漁網が、床につくねられ、その上にラッキイ・ストライクの空箱や、チョコレートの包装紙などが載っていた。

情況が示すところは、この家の住人が急いで出て行ったか、掠奪《りゃくだつ》されたかである。しかし明白な米軍の痕跡《こんせき》があるのに、何故《なぜ》比島人は去る必要があったか。私はなお理解することは出来なかったが、ただこの村は無人らしい、ということだけは感じた。

私は通りに全身を現わした。左右の家の内部に注意しつつ、ゆっくりと人気のない凸凹《でこぼこ》の道を下りて行った。

沖を通る内火艇の音はやはりあったはずであるが、私はそれを憶《おぼ》えていない。憶えているのは、歩むにつれて、次第に高く耳について来る、一つの音であった。それはシュルシュルシュルという、布を素速く手繰るような音であって、道の前方から、匍《は》い寄るように近づいて来た。

けたたましい犬の声がし、二匹が道の端に現われ、まっしぐらに駈けて来た。そして私の前方数間に立ち止ると、牙《きば》をむいて吠《ほ》えた。

膝《ひざ》から下が保護されている場合、地に匍う動物は無視することが出来る。私は銃口を下げて彼等を脅かしつつ、忙がしくあたりに眼を配った。犬の声によって警告された人間の方が、懼《おそ》るべきであった。

何も動かなかった。私は眼を犬共に戻《もど》した。一匹はテリヤ、一匹は日本犬に似た赤犬である。私は彼等の表情に、飼育動物の優しさがないのに気がついた。彼等は今は低く唸《うな》っていた。私の上体を窺《うかが》っているように思われた。

私は立ったまま銃で覘《ねら》った。しかし銃は犬の既知の懲戒具に入っていないらしく、犬は少しも怖《おそ》れる気配がなかった。むしろ犬に攻撃され、発砲を強いられるのを、私の方で懼れた。私は遠くの丘に見た野火を意識した。銃声によってあそこにいる比島人を刺戟《しげき》してはならぬ。

私は銃を下げて腰に支え、なおも犬の態度に注意しつつ、素速く剣を抜いて、銃口に差した。その時赤犬が跳躍した。真直に私の喉《のど》へ向って来た。私の剣は空中で彼の体を受け、彼の肋骨《ろっこつ》の間に入った。血が飛び、彼の体は私の銃と共に横に降りた。

他の一匹は既に遁走《とんそう》しつつあった。警戒するように高く鳴きながら、道の端《はず》れの椰子の根方まで突走り、そこで立ち止って、けたたましく吠え立てた。犬は左右から集って数匹となり、並んで吠えた。私は進んで行った。

犬共は私がその位置に達する前に散り、四方の家の軒にかくれて、なおも吠え続けた。そこはちょっとした広場になっていて、一側を会堂の正面が占めていた。烏《からす》が十字架の腕や屋根の勾配《こうばい》に夥しく止っていた。私が村の入口からこの屋根を見た時、たしかこの烏はいなかった。

シュルシュルという音の正体を、私はすぐ突き止めた。広場の会堂とは反対の側に設けられた、一つの水道栓《すいどうせん》がこわれて、白い水が迸《ほとばし》っていた。

この町が無人であることを私は確信した。住民は私の知らない原因によって、米軍の通過後再び逃亡したのである。

私はその水道でまず犬の血のついた剣を洗った。敵を殺すために国家から与えられた兇器《きょうき》を、私が最初に使用したのが、獣を殺すためであったのは、何となく皮肉であった。

剣を拭《ぬぐ》って鞘《さや》に収め、私はゆっくり水を飲んだ。水は山の水を引いたものらしかったが、山の泉の水のように泥《どろ》の臭《にお》いがなく、美味であった。

ひと通り飲んで、背を延ばし海を眺めた時、私の喉の真に欲している水は、別にあるのに気がついた。その海の水であった。山で私は長らく塩を摂《と》っていなかった。椰子の間を抜けて岸に降りた。粗く脆《もろ》い砂が足許《あしもと》で凹《へこ》んだ。私は膝まで海に入り、水筒で海水を汲《く》んで心行くまで飲んだ。十数日ぶりで味う塩の味は、よく知った鹹《しおから》い味に、かすかな甘味を交えていた。

ビサヤ内海の静かな水が拡がっていた。岸に迫った岬から、蟬《せみ》の声が湧《わ》いて水にこだました。その連続した音は、依然として沖のどこかを渡るらしい、米軍の内火艇の音によって破られた。

村に人のいないように、岸に舟はなかった。渚《なぎさ》が白く弧を描いて、右は岬の崖《がけ》に到り、左はそこに死に絶えた河に切れ込んでいた。一艘《いっそう》の破れた帆船が、舳《へさき》を河口の水に埋めていた。

風が吹いていた。かつて私が祖国の夏の海岸で吹かれた風と、同じ湿度と匂《にお》いを持った風であった。日を照り返す海面を渡って来て、私の体を孤独な一点に包み、頰《ほお》をかすめ脚間を抜けて、颯々《さっさつ》と吹き過ぎて行った。

私はやがてこういう開けた海岸に身を曝《さら》す危険に気がつき、急いで椰子の間に戻った。そこに一種の臭気が漂っているのに気がついた。私はその臭いを知っていた。

中隊が南方の部落に宿営していた時、偶〻《たまたま》営舎附近にさまよい寄った牛を射ったことがある。骨と臓物は野に棄てられた。頭だけ原形を保ったその巨大な骨は、陽の下で忽《たちま》ち腐り、日に日に堪え難《がた》い臭気を、営舎まで送って来た。我々の胃を生理的に刺戟する、つんとする臭気であった。

私は私の鼻がこの臭いを、既にこの町に歩み入った時から嗅《か》いでいたのを思い出した。それは犬を刺した時も、水道栓から水を飲んだ時も、常に私の鼻にあった。海岸に降りた時だけ憶えがないのは、多分臭気を発する物体が村の中にあるからであろう。どこかに住民の遺棄した豚の残骸《ざんがい》でもあるんだろう。

私は再び会堂の前に立った。屋根は依然として夥しい烏によって占められていた。彼等は私の出現によって刺戟されたらしく、ざわめいていた。一羽は前面の壁に沿って、ゆっくり斜めに登って行くところであった。

十字架はこの時も私の裡《うち》に予期していたような感動を起さなかった。金泥が処々《ところどころ》剝《は》げて、汚ならしく見えた。前面の壁は雨水によるしみに蔽《おお》われ、石段の角は欠けていた。黒い木の扉《とびら》は夢で見たのと同じく、片方が半ば開いていた。

（私は疲れているんだろう）

私は入口に歩み寄った。しかし私は真直にそこへ行き着くことは出来なかった。

一七　物　体

会堂の階段の前の地上にあった数個の物を、私がそれまで何度もそこに眼を投げたにも拘《かかわ》らず、遂《つい》に認知しなかった理由を考えてみると、この時私の意識が、いかに外界を映すという状態から遠かったかがわかる。不安な侵入者たる私は、ただ私に警告するものしか、注意しなかったのである。「物」と私は書いたが、人によっては「人間」と呼ぶかも知れない。いかにもそれは或《あ》る意味では人間であったが、しかしもう人間であることを止《や》めた物体、つまり屍体《したい》であった。

殊《こと》に彼等は屍体であること既に永く、あらゆるその前身の形態を失っていた。彼等の穿《うが》った軍袴《ぐんこ》のみ、わずかに彼等の人間たりし時の痕跡であったが、屍汁《しじゅう》と泥で変色し、最早《もはや》人間の衣服の外観を止《とど》めていなかった。周囲の土と正確に同じ色をしていた。

今それを記述しようとして、私がいかにそれを「見て」さえいなかったかを知る。怯《おび》えた兵士として、初めそれを認知しなかったばかりではなく、認知した後も、眼《め》はその細部を辿《たど》ることが出来なかった。まずそれを屍体と認めた眼は、既知の人間の形態を予期しつつ、その上を移動したが、眼は常に異様な変形によって裏切られたのである。

露出した腕と背中は、皮膚の張力の許すかぎり、人体の比例を無視した大きさに膨《ぼう》脹《ちょう》し、赤銅色《しゃくどういろ》に輝いていた。或る者の横腹からは、親指ほどの腸が垂れ下っていた。弾丸の入った跡であろうが、穴の痕跡はなく、周囲の肉の膨脹が、その腸をソーセージのようにくびっていた。

頭部は蜂《はち》にさされたように膨れ上っていた。頭髪は分解する組織から滲《にじ》み出た液体のため、膠《にかわ》で固めたように皮膚にへばりつき、不分明な境界をなして、額に移行していた。以来私はこの光景を思い出すことなく、都会の洋裁店等に飾られた蠟人形《ろうにんぎょう》の、漠然《ばくぜん》たる生え際を見ることが出来ない。

頰はふくらみ、口は尖《とが》っていた。その不動な表情は、強《し》いていえば「考える猫」に似ていた。

或る者は他の者の脚に頭を載せ、或る者はその肩を抱いていた。伏した或る者の臀《でん》部《ぶ》の服は破れ、骨が現われていた。私はこの無人の村に、犬と鳥のみ多い理由を知った。

今平穏な日本の家にあってこの光景を思い出しながら、私は一種の嘔吐《おうと》感《かん》を感じる。しかしその時私は少しもそれを感じた記憶がない。嘔吐感は恐らくこの映像を、傍観者の心で喚起するためである。平穏な市民の観照のエゴイスムの結果、胃だけが反応するからである。

その時私の感じたのは、一種荒涼たる寂寥感《せきりょうかん》であった。孤独な敗兵の裏切られた社会的感情であった。この既に人間的形態を失った同胞の残骸で、最も私の心を傷《いた》ましめたのは、その曲げた片足、拡げた手等が示すらしい、人間の最後の意志であった。

私は漸《ようや》くこの村の情況を理解した。これらの屍体の前身たる日本の敗残兵は、恐らく米兵が通過した後にこの村に現われ、掠奪して住民の報復を受けたのである。或る屍体の傍《そば》に投げ出されてあった、大きな薪割《まきわ》りがその証拠であった。そしてその後も、多分頻繁《ひんぱん》なる日本の敗残兵の出没によって、住民は再び村を棄てたのであろう。

一八　デ・プロフンディス

私は屍体の群を迂回《うかい》し、会堂の階段を上った。内部は整頓《せいとん》されていた。両側の高い窓から差す光が快い調和を作って、木の床やベンチに積った埃《ほこり》を照し出していた。大きな帆立貝で作った聖水盤の水は干上っていた。

窓の間の壁には、キリストの受難を表わした十四面の油絵がかけてあった。その画面にばらまかれた夥しい赤、つまり血の量が私を打った。鞭《むち》うたれるイエスの背は血にまみれ、重ねて釘《くぎ》づけられた足から滴《したた》った血は、木を伝って流れていた。平べったい画面は頗《すこぶ》る平凡で、恐らく伝統の構図を画いたものにすぎないと思われたが、それだけに中世のバーバリズムを正確に伝えていると思われた。かかる血の氾濫《はんらん》の中で礼拝し得た昔の人の心は、たしかに人間の肉体の破壊について、敗兵たる私と、あまり遠くない感覚を持っていたに違いない。

祭壇には蠟細工の十字架像があった。この像も悪い写実を示していた。イエスの蒼《そう》白《はく》の裸体は屍色を現わし、血は赤黒く凝固しているらしかった。両手をきっちり四十五度に、横木の先端まで延ばした、このローマの植民地の義人の姿勢は、掌《てのひら》を貫いた二本の釘によって釣《つ》り下げられた人体に働く、重力しか表わしていなかった。

これ等人には随分信心の対象となり得、事実私の少年時の憧憬《どうけい》の的であった映像に、私が血と屍体しか見得ないとすれば、何かが私の中で変っているのではあるまいか。

床の埃に伏して私は泣いた。十字架に曳《ひ》かれて降りて来た敬虔《けいけん》なる私が、何故ただ同胞の惨《ざん》死《し》体《たい》と、下手な宗教画家の描いたイエスの刑死体だけを見なければならないのか。私をここに導いた運命が誤っているか、私の心が誤っているか、そのいずれかである。

「デ・プロフンディス」

昨夜夢で私自身の口から聞いた言葉が響き渡った。私は振り向いた。声は背後階上の、合唱隊席から来たように思われたからである。

しかし眼は声の主を探しながら、私はそれが私の幻聴であるのを意識していた。その声は誰《だれ》かたしかに、私の知っている人の声だと私は感じたが、その時誰であるかは思い出せなかった。

今では知っている。それは昂奮《こうふん》した時の私自身の声だったのである。もし現在私が狂っているとすれば、それはこの時からである。

「われ深き淵《ふち》より汝《なんじ》を呼べり。主よねがわくはわが声をきき……」

少年の時暗誦《あんしょう》した旧約の詩句が頭の中で飜《ひるがえ》った。しかし会堂の天井に添って移行する私の眼に映る、比島の見すぼらしい会堂の内部には、何も私の呼声に答えるものはなかった。

「われ山にむかいて目をあぐ、わが助けはいずこより来《きた》るや」

この時私は私自身と外界との関係が、きっぱりと断ち切られたのを意識した。地上で私の救いを呼ぶ声に応《こた》えるものは何もない。それは諦《あきら》めねばならぬ、と思い定めた。

私は侍女のようなマリヤ像を横眼で見ながら、内陣の横の扉を排して外に出た。そこは海に臨んだ芝生《しばふ》で、また一つの屍体があった。滲み出た屍汁で周囲の草は枯れ、投げ出された手の爪《つめ》は法外に長かった。

（あの爪は死んでから伸びたものかな。それとも前からあんなに伸ばしていたのか）

そんな意味のないことを考えながら、私は赤いトタン葺《ぶき》の司祭館の、破れた硝子窓《ガラスまど》を排して入った。

中はやはり掠奪《りゃくだつ》の跡を示していた。戸棚《とだな》は開けられ、器物の蓋《ふた》は尽く《ことごと》取られて、空になっていた。書棚が開けられていない唯一《ゆいいつ》のものであったが、私は中に二冊のエドガー・ウォーレスを認めた。司祭の職と犯罪小説との関係について、私は暫く《しばら》瞑想《めいそう》に耽《ふけ》った。

窓の外に静かな海があり、既に高く昇った日に照されて、岬《みさき》は蔭《かげ》を失っていた。

（こんなところにホテルを建てたら流行《はや》りそうだ）

とまた無意味に考えた後、私はそこにあった籐《とう》の長椅子《ながいす》に横わった。

家具に身を横える感覚は、私を郷愁に似た哀感に誘った。やっと空腹を覚え、私は雑嚢《ざつのう》から芋を出してかじった。私はこの家に燐寸《マッチ》があるかも知れないと思った。山中で生の食物ばかり食べていた私が、下界でまず求むべきは火である、と初めて気がついた。

私は入念な捜索にかかった。まず西欧風に設《しつら》えられた台所のあらゆる戸棚を開け、曳出《ひきだし》の隅々《すみずみ》まで調べた。それは既に先来の掠奪者の貪欲《どんよく》と好奇心の跡を示していたが、私はその小さな物体が彼等の眼を逃れる可能性を頼りに、なおも執拗《しつよう》に探し続けた。しかし目的のものは遂に見出《みいだ》されなかった。

私は次に拡大鏡を探した。レンズがあれば、太陽から火を獲られるはずであり、多分齢《よわい》傾いたこの家の主は、かなりそれを必要としそうであった。私の入念な捜索はこんどは書斎に移ったが、これも無駄《むだ》であった。私はこんな簡単な光学機械すら所有しない、職業的宗教家の無知を呪《のろ》いつつ、再び長椅子に横わった。

一九　塩

いつか私は眠っていた。長い苦しい眠であった。眼をさますと、海に向いた窓が、あかあかと夕日に照されていた。その衰えた赤が悲しかった。依然として内火艇の音が、高く低く海に響いていた。私はこうして長く敵中に止《とど》まる危険を反省したが、すべては物倦《ものう》かった。私はまた眠ったらしい。

歌が聞えて来た。それはスペインの旋律から肉感を奪って哀愁だけを残した、あの聞き馴《な》れた比島の歌であって、若い女声であった。私は身をもたげた。夢ではなく、声は光線のようにはっきりと、海に向いた窓から入って来た。

　夜はもう遅いらしく、月が出ていた。弱い斜めの光が、海面を銀に光らせていた。一隻《いっせき》のバンカーが光の上に黒く動いていた。二人の人間が乗っていた。男が舳に坐《すわ》り、女が櫂《かい》を持って、漕《こ》ぎながら歌っていた。歌声は平らな海面に柔らげられ、優しくうるんで耳に届いた。時々女は笑った。私は歯ぎしりした。

　舟はやがて渚《なぎさ》に着き、男がまず飛び上って舟を曳いた。女は男の手にすがって岸に立つと、二人は手を取り合ったまま、笑いながら駈《か》けて来た。

　私は何故《なぜ》か彼等がこの家に来るに違いないと確信した。頭を窓の下に隠し、耳を澄ませた。砂を踏む足音と笑い声が近づき、裏の戸が開いた。やがて灯《ひ》が間の扉の隙間《すきま》を充《み》たした。

　彼等は相変らず笑っていた。私の第一の直感は人目を忍ぶ恋人達が、この死の村を媾曳《あいびき》の場所に選んだということであった。しかし彼等は随分台所に用があるらしかった。忙しくいつまでも音を立てていた。或《ある》いは召使かも知れなかった。

　彼等がやがて私のいる室《へや》へも入って来る可能性があった。事実一人は扉に近づき、隙間から差す光が中断された。

私は音を立てた。話声がとまった。私は立ち上り、銃で扉を排して、彼等の前に出た。

二人は並んで立ち、大きく見開かれた眼が、椰子油《やしゆ》の灯を映していた。

「パイゲ・コ・ポスポロ（燐寸《マッチ》をくれ）」と私はいった。

女は叫んだ。こういう叫声を日本語は「悲鳴」と概称しているが、あまり正確ではない。それは凡《およ》そ「悲」などという人間的感情とは縁のない、獣の声であった。人類は立ち上って胸腔《きょうこう》を自由に保たないならば、こういう声は出せないであろう。

女の顔は歪《ゆが》み、なおもきれぎれに叫びながら、眼は私の顔から離れなかった。私の衝動は怒りであった。

私は射《う》った。弾は女の胸にあたったらしい。空色の薄紗《うすしゃ》の着物に血斑《けっぱん》が急に拡《ひろ》がり、女は胸に右手をあて、奇妙な回転をして、前に倒れた。

男が何か喚《わめ》いた。片手を前に挙げて、のろのろと後ずさりするその姿勢の、ドストエフスキイの描いたリーザとの著しい類似が、さらに私を駆った。また射った。弾は出なかった。私は装塡《そうてん》するのを忘れたのに気がつき、慌《あわただ》しく遊底《ゆうてい》を動かした。手許《てもと》が狂って、うまくはまらなかった。

男はこの時進んで銃身を握るべきであった。が、彼の取った行動は全く反対のものであった。バタンと音がし、眼を挙げると、彼の姿は外に消えていた。私も続いて出た。

男は既に浜に降り、月に照された砂の上を、私の覘《ねら》いを避けるためであろう、S字を描いて駈けていた。舟を押し出し、飛び乗って、忙がしく漕いで行った。私は砂に折り敷き、いい加減に発射した。

銃声は海面を渡り、岬に反射して、長く余韻を引いて、消えて行った。男は一層慌しく櫂を動かした。私は笑って、引き返した。

女の体は既に屍体の外観を現わし始めていた。息が沼から上る瓦斯《ガス》のように、ぶつぶつ口から洩《も》れていた。私は耳を近づけて、その音の止むまで聞いた。

私をこの行為に導いた運命が誤っているにせよ、私の心が誤っているにせよ、事実において、私が一個の暴兵にすぎないのを、私は納得しなければならなかった。神ばかりではない、人とも交ることが出来ない体である。私はまた私の山に帰らねばならぬ。

私は私の犠牲者がここまで来た理由に好奇心を起し、室に彼等の行為の跡を探した。床板があげられ、下に一つのドンゴロスの袋が口を開けていた。中に薄黒く光る粗い結晶は、彼等人類の生存にとっても、私の生存にとっても、甚《はなは》だ貴重なものであった。

塩であった。

二〇　銃

男が遁《のが》れ去った以上、私は村に留《とど》まることは出来なかった。雑嚢に塩を詰められるだけ詰めて、私はその家を出た。

月が村に照っていた。犬の声が起り、寄り合い、重なり合って、私が歩むにつれ、家々の不明の裏手から裏手を伝って、移動した。声だけ村を端《はず》れても、林の中まで、追って来た。

靄《もや》が野を蔽《おお》い、幕のように光っていた。動くものはなかった。遠く、固い月空の下に、私の帰って行くべき丘の群が、薄化粧した女のように、白く霞《かす》んで、静まり返っていた。

悲しみが私の心を領していた。私が殺した女の屍体《したい》の形、見開かれた眼、尖った鼻、快楽に失心したように床に投げ出された腕、などの姿態の詳細が私の頭を離れなかった。

後悔はなかった。戦場では殺人は日常茶飯事にすぎない。私が殺人者となったのは偶然である。私が潜んでいた家へ、彼女が男と共に入って来た、という偶然のため、彼女は死んだのである。

　何故私は射ったか。女が叫んだからである。しかしこれも私に引金を引かす動機ではあっても、その原因ではなかった。弾丸が彼女の胸の致命的な部分に当ったのも、偶然であった。私は殆《ほと》んどねらわなかった。これは事故であった。しかし事故なら何故私はこんなに悲しいのか。

　野を斜めに横切った川の橋へ来た。橋板を軍靴《ぐんか》で踏む音が、ごとんごとんと耳に響いた。私はその低い欄《てすり》に腰を下し、流れる水に見入った。

　水は月光を映して、燻銀《いぶしぎん》に光り、橋の下で、小さな渦《うず》をいくつも作っていた。渦は流水の気紛《きまぐ》れに従って形を変え、消えては現われ、渦巻きながら流れて行き、また引き戻《もど》されるように、溯行《そこう》して来た。

　私はその規則あり気な、繰り返す運動を眺《なが》め続けた。一人になってから、こういう繰り返しが、いつも私の関心の中心であったのを思い出した。それは自然の中にあるように、人生の中にもあるべきであった。

　昨夜からの私の行為は、この循環の中にはなかった。しかし結果は、一人の比島の女を殺すことで終った。あれは事故であったが、しかしもし事故が起ったのが、私がその循環からはずれたためだったとすると、やはり私の責任である。

私は立ち上り、昨日この橋を逆に渡った時のように、銃を斜めに構えた。女を射った時と同じく、床尾《しょうび》を腰に当ててみた。

銃は月光に濡《ぬ》れて黒く光った。それは軍事教練のため学校へ払下げたのを回収した三八銃《さんぱちじゅう》で、遊底蓋《ゆうていがい》に菊花の紋が、バッテンで消してあった。私は嘔気《はきけ》を感じた。

すべてはこの銃にかかっていたのを、私は突然了解した。いくら女が不要慎で、私が理由なく山を降りたにしても、もしあの時私の手に銃がなかったら、彼女はただ驚いて逃げ去るだけですんだであろう。

銃は国家が私に持つことを強《し》いたものである。こうして私は国家に有用であると同じ程度に、敵にとっては危険な人物になったが、私が孤独な敗兵として、国家にとって無意味な存在となった後も、それを持ち続けたということに、あの無辜《むこ》の人が死んだ原因がある。

私はそのまま銃を水に投げた。ごぼっと音がして、銃は忽《たちま》ち見えなくなった。孤独な兵士の唯一の武器を棄てるという行為を馬鹿《ばか》にしたように、呆気《あっけ》なく沈んだ。あとに水は依然として燻銀に光り、同じ小さな渦を繰り返していた。

私を取り巻く野が、不意に姿を変えた。月光の行き遍《わた》った美しい夜景が、腰の剣一つを頼りに越えて行かねばならぬ広さと映った。遠方から敵を斃《たお》し得る武器を失った私に、空間は拡がった。剣をもって行動し得る半径の無限の堆積《たいせき》として、迫って来るように思われた。

私は後悔したが、諦めていた。一度川底の泥《どろ》に埋った銃を、再び使用可能の状態に戻す困難は別にしても、拾えばまた棄てるほかはないのを、私は知っていた。

私は歩き出した。月光の行きわたった野と靄の間を、前曲《まえこご》みに、せかせか歩いて行った。林に入った。道に月光が散り敷き、木々のあわいは、不規則な光と影に充たされていた。昨夜のように、山鳩《やまばと》がベエトヴェンの交響曲の主題を二小節鳴いた。

私は孤独であった。恐ろしいほど、孤独であった。この孤独を抱いて、何故私は帰らなければならないのか。

この道は昨夜は二度と帰ることはあるまいと思っていた道であった。その道を逆に通ることは、通らないことより、一層奇怪であった。

山の畠《はたけ》の何本かの芋に限られた私の生は、果して生きるに価するだろうか。しかし死もまた死ぬに値しないとすれば、私はやはり生きねばならぬ。少なくともあの芋のあるところまで、私が歩くのを止めるものはこの世にはない。私には私自身の足取りがよく見えた。

さらにいくつか月に照された原を過ぎ、林をくぐり、流れを渡って、私は次第に私の丘に近づいた。最初の上りにかかるところの林は、よく繁《しげ》り暗かったが、次の林は疎《まば》らで明るかった。昨日の朝のように、木の幹の斑紋がよく見えた。再び黎明《れいめい》の光であった。私は何者かに操られているように思った。

二一　同　胞

最後の林を出端《ではず》れると、私は切り開かれた畠の斜面の、朝の光の中に動く、三つの人影を見た。戦闘帽に緑色の襦袢《じゅばん》、見違うことは出来なかった。日本兵であった。

涙が突然左右の地面に落ちた。

「おーい」

と叫びながら、私は手を振り、駈け上った。

人影は一斉《いっせい》にこっちを向いた。人形のように、彼等同士の間で忙しく顔を向け合い、それからまたこっちを向いて、じっとしていた。

顔の一つに近づいて、そのむずかしい表情に、私ははっとした。階級章は彼が伍長《ごちょう》であることを示していた。

「おめえ、どこの兵隊だ」と彼はいった。

私は自分がまだ軍隊の組織の中にいたことを意識し、改めて敬礼していった。

「小泉兵団村山隊歩兵、田村一等兵であります」

「村山隊はアルベラで全滅したっていうぞ」

といいながら、若い兵士が寄って来た。頰《ほお》が尖《とが》り、鬚《ひげ》は延びていたが、彼が現役兵であるのは、太い眉《まゆ》の下で活潑《かっぱつ》に動く眼で知られた。これは上等兵であった。

「自分は入院中をやられて、一人でここへ来たのであります」

「ああ、お前か。鉄帽があったから、誰かいたらしいって、いってたんだ。今まで何《ど》処《こ》へ行ってた」

ともう一人の一等兵がいった。私は女を殺したことをのけて、昨夜からの冒険のあらましを語った。

「ふーん」と伍長は疑わしそうに私の顔を見た。「よく一人っきりで行く気になったな。銃はどうした？」

私は咄嗟《とっさ》に嘘《うそ》を吐《つ》いた。

「帰りに谷へ落しました」

「ふむ。仕様がねえ奴《やつ》だ……もっともお前も」と傍《そば》の上等兵を顧みて「ブラウエンで落しちゃったな」

「落しちゃったも糞《くそ》もあるものか。真暗な林の中を、やみくもに逃げて来たんだ。ちょっと手から離れたら、金輪際《こんりんざい》見つかるもんじゃねえ。そのうちどっかで拾うさ」

「死んだ兵隊のでも取るか」と伍長は笑った。

「班長殿はどこの隊でありますか」

「大島隊だ。ブラウエンへ斬《き》り込んで、散々やられての帰りさ。落下傘《らっかさん》部隊と協力するはずだったんだが、上空でやられて、三十人ぐらいっきゃ降りやがらねえ。それもさっさと、俺達《おれたち》の方のジャングルへ逃げ込んで来やがった。お蔭《かげ》でこっちもやられちゃったのさ。弾も糧秣《りょうまつ》もねえし……昨日この畠を見つけて、やっと一息吐いたところだ」

見ると、畠は甚だ精力的に荒されていた。芋の木は殆んど倒され、根芋がひとところに積まれてあった。

「こんなに芋がしこたま手に入ったのは、天の祐《たす》けさ、これだけありゃ、パロンポンまで持つだろう」

パロンポンとは島の西北の半島突端の、後続部隊が上陸した町である。

「班長殿達はパロンポンへ行かれるのでありますか」

「おめえ、まだ知らねえのか。レイテ島上の兵は尽《ことごと》くパロンポンに集合すべし、って軍命令が出ている。お偉ら方もやっと、とてもいけねえと気がついたらしい。どの隊もみんなそっちへ退却中だ。パロンポンから大発で、セブへ渡してくれるって話だ——ははあ、その命令を知らねえから、こんなとこでうろうろしてやがんだな」

「はい、知りませんでした」

「よし、俺達は芋を掘れるだけ掘ったら、出発する。お前もさっさと自分で掘って、行ったらいいだろう」

「よろしくお願い致します」

彼等は顔を見合せた。

「よろしくたあ、久振りで娑婆《しゃば》の匂《にお》いを嗅《か》いだような気がするな。誰も連れてってやるっていったわけじゃねえぜ。おめえ、病人だろう。随《つ》いて来られるのか」

「出来るだけやってみます」

「ふふ、俺達はニューギニヤじゃ人肉まで食って、苦労して来た兵隊だ。一緒に来るないいが、まごまごすると食っちまうぞ」

彼等は声を合せて笑ったが、上等兵は私の雑嚢《ざつのう》に目をとめた。

「何だ、そりゃ。やにふくらんでるじゃねえか」

「塩であります」

「塩？」

歓声に似た声が、一斉に三人の口から洩れた。

「そいつあ、豪儀だ。……ええと」伍長の口調は急に丁寧になった。「どうだ、そいつを俺達にも少し分けて貰《もら》えめえか。そんなに一人で持ってても仕様があるめえ。一緒に連れてってやるよ。食やしねえよ。ありゃ冗談だ」

私に異議があるはずがなかった。

「そうか。そいつぁ、有難《ありが》てえ。じゃ、あっちで分けて貰うとしようか……だが、ちょっと嘗《な》めさせろ」

彼等は争うように私の雑嚢へ手を入れると、一つまみずつ頬張った。

「うめえ」

と口ごもりながら、めいめいにいった。一等兵の眼尻《めじり》に、涙がちょっぴり溜《たま》った。

「どこで取ったんだ」

と小屋へ向って歩き出しながら、上等兵がいった。

「下の村であります」

「もっとほかになかったのか」

「塩だけであります」

「そんなはずはねえがな。方々探したか」

「一軒だけであります」

「惜しいことをしたな。何かあったんだよ……俺達もついでに、ちょっくら寄って見ようか？」

「住民が逃げましたから、今頃《いまごろ》はゲリラが来てるかも知れません」

「ああそうか。じゃここも長居は無用だな」


私は振り返った。丘の背が海へ低くなったところ、昨日野火を見たあたりから、今日も一条の煙が、上っているのが見えた。十字架も見馴《みな》れた形で、いつもの林の上に光っていたが、こうして同胞達と会ってしまった今では、私に何も語らなかった。

希望が生れていた。昨日からの出来事は、悪夢の名残のように、後頭部についていたが、この時パロンポン集合という一片の軍命令に要約された生還の希望を、私が信じ込んでしまった速さを考えると、中隊を出て以来、私の奇妙な経験と夢想が、すべて私が戦場で隊から棄てられたという、単純な事実に基いていたことがわかる。

今は私は僚友と共にあり、塩を与えるという行為によって、彼等と社会的関係にある。彼等は分隊長のように、私を追い出すことは出来ないはずである。この関係に入ってしまえば、比島の村における私の殺人も、私がそれを口外しない以上、存在しないと同然であった。そして私はあらゆるレイテの敗兵と同じ資格で、セブに脱出し、やがては内地へ生還することも出来るのだ。

敗軍における僚友が、どういうものであるか知っていたはずの私が、一握りの塩によって我々が結ばれ、協力し得ると信じてしまったのは、まさに二十日以上の孤独の結果であった。

小屋には鶏の羽が散乱していた。

「鶏、やったんですか」

「二匹だけしめたが、あとは逃げられたよ」と上等兵は笑った。

そこで私は私の塩を平等に、新しい僚友達に分けた。この行為は私が彼等と新しく繋《むす》ばれる、儀式のように思われた。彼等の顔に浮んだ感謝の表情は、とにかく一様であった。

「じゃ、出掛けるか。おめえ、早く芋を掘れ、塩のお礼に、俺達が掘ったのを分けてやってもいいが、なるべく沢山ある方がいいからな。もっともあらかた掘っちゃったか。おめえの畠を荒してすまなかった」

と冗談をいうくらい、伍長は上機嫌《じょうきげん》であった。

二二　行人

さらに二、三本を倒して根芋を取り、僚友にならって、被甲の中身をすてて、そこにも収めると、我々は出発した。

伍長が先導した。私が最初この島へ上って来た道を逆行して河原へ降り、暫《しばら》く流れに沿って下ってから、最初の屈折点で、別の丘へ取りついた。

北を目指すべきであった。東西両海岸の米軍の連絡は既に成っていたが、オルモック街道がリモンの北で二つに分れ、一つがパロンポンに向っている地点がある。そこから半島に入ることが出来るであろうという、伍長の判断であった。

二つの丘と二つの川を杣道《そまみち》で越した後、牛車の通れるくらいの幅の道に出た。

「飛行機に気をつけるんだぞ。道はねらって来るからな」と伍長がいった。

米機が道をねらうのはもっともであった。三々五々連れ立った日本兵が、丘の蔭、叢林《そうりん》から不意に現われて、道に加った。そしてやがて一個中隊ほどの蜒々《えんえん》たる行軍隊形になった。

道が草原に露出しているところでは、列は道を外れて林に潜り、先でまた林に入って来る道を捉《とら》えた。そういう林中の道は、時々都会の鋪道《ほどう》のように雑沓《ざっとう》した。

兵達の状態は、見違えるように、悪くなっていた。服は裂け、靴《くつ》は破れ、髪と髯が延びて、汚れた蒼《あお》い顔の中で、眼ばかり光っていた。その眼は互いに隣人を窺《うかが》うように見た。

パロンポンへ、パロンポンへ。彼等はそれぞれ飢え、病み、疲れた体を引きずって、一つの望みにつながり、人におくれまいとして、一条の道を歩いて行った。上り坂の両側は休む、或《ある》いは倒れた兵の列であった。

軍命令は米軍にも知れているのであろう。林中の道ですら、頭上に低く飛行機の爆音を聞き、機銃掃射があった。兵達は急いで四散し、新しい死者と傷者が道端に増えた。

夜になった。伍長は我々を導いて道をはずれ、谷に降り、弾の尻から火薬を抽《ひ》き出し、木の枝でこすって火を起した。畠で一週間も生芋を齧《かじ》り、比島の男女を「燐寸《マッチ》をくれ」と脅《おど》かした私は、この簡単な方法に気がつかなかった迂闊《うかつ》に、我ながら驚いた。

その夜私は久振りで暖い食物を口にした。

兵の中に、我々のように豊かに食糧を持った者が、殆《ほと》んどいないのはたしかであった。だから我々は道から離れて食べたのである。

食べ終ると、再び道に出、月光の中を進んだ。木下闇《このしたやみ》に兵の帯剣と飯盒《はんごう》の触れ合う音が響いた。道がはかどった。

夜が明けると、林に入って眠り、夕方行軍を開始した。夜道の方が爽《さわ》やかで、被爆の危険がなかったからであるが、月が、細く暗くなるに及んで、昼間の行軍に返った。路傍に倒れた兵士の数が多くなった。私は死んだ兵士の銃を取る機会をねらっていたが、死者の傍に銃があることは絶えてなかった。最初から持っていないか、或いは素速く取り去られるからであろう。

私の感想を伍長は笑って聞いていたが、或《あ》る時、

「そら、取って来てやったぞ」

と、追いついて、私に渡した。

「これ、ほんとに死人の銃でありますか」

伍長は眼をむいた。

「死人のじゃなかったら、どうしたっていうんだ。いやならよせ」

「馬鹿野郎《ばかやろう》、班長がくれたら黙って貰ってりゃいいんだ」

と傍から上等兵が低声で注意した。彼は自分の分はいつの間にか手に入れていた。

「はい、有難くあります」

倒れた傷兵の傍をすぎる毎《ごと》に、私は漠然《ばくぜん》とした胸の悩みを感じた。かつて病院が砲撃された時、笑って仲間を見棄てることが出来たのは、私も前途に死しか予想出来なかったからであったが、パロンポン集合の希望を持った今では、自責を感ぜずにはいられなかったのである。

しかし路傍にますます増えて行く倒兵の数に、私は次第に馴れた。彼等はただ徒《いたず》らに倒れているだけではなかった。彼等は生きていた。

或る者は木の根の程よきところに宿所を選び、持物を枕元《まくらもと》に整頓《せいとん》して、静かに横たわっていた。或る者は胡坐《こざ》して、ぎらぎら光る眼で通行人を凝視していた。草に伏して、道行く人に絶えず、

「△△隊の兵隊はいませんか」

と叫んでいる兵士もいた。

或る日私は、病院の前で別れた二人の病兵に会った。今では歩けないのは安田であり、若い永松は元気になっていた。彼は通行の兵士に煙草《たばこ》を薦めていた。

「煙草いらないか。葉っぱ一枚で芋三本だ。二本でもいい」

しかしここは病院とは違って、煙草に替えるほど、食糧に余裕のある者は一人もなかった。

「馬鹿野郎。今頃誰《だれ》が煙草なんぞ買うものか。参謀でも探して売れ。後からすぐ師団参謀が来らあ」とわが伍長が嘲《あざけ》った。

「ほんとですか」

「ほんとか、嘘か。来てみるまでわかるもんか。間抜け」

永松は私を覚えていた。

「やあ、田村、まだ生きていたのか」

「ふん、お前達こそ、どうした」

私は同行者に眼で後から行くと合図して、立ち止った。

「どうも、こうもねえ。すっかりやられちゃったよ」

「何をやられたんだ」

「何をって、――あんなひでえ奴《やつ》はねえ」

「誰がひでえんだ」

「あの安田のおっさんと一緒に歩くことにきめたなあいいが、何のかんのって我儘《わがまま》ばかりいやがって。体のいい小使よ。お蔭様で、今じゃ、こうやって煙草売りさ。あの野郎てんで動かねえんだ」

彼の顎《あご》でしゃくる方には、四、五間離れた叢《くさむら》に天幕を張って胡坐し、笑って手招きしている安田の姿が見えた。

相変らず、右足を前方へ延ばしたまま、木に凭《もた》れていた。

「ああ、田村か。何だか肥《ふと》ったようだな。糧秣《りょうまつ》豊富らしいじゃねえか」

「何だかわからねえが、ぼつぼつやってるんだ」

「俺も永松のおかげで、ここまで来たが、どうもこれから先は自信がねえ」

「自信なんかある奴はないだろう。でもその足じゃ大変だな」

「永松が肩をかしてくれるんで、ぼつぼつ行けるんだ」

「肩を？」

この敗軍の中で、他人に肩をかす男がいるとは意外であった。永松は苦笑していた。

「肩をかしてやんなきゃ、飯が食えねえんだから、仕様がねえ。糧秣はねえし、おっさんの煙草だけが、頼りだからな」

「そうだ。この煙草のなくならねえうちに、パロンポンへ着かなきゃならねえ」

「こうなると、煙草もあんまり売れねえだろうが」

「そんなことあるものか」と安田は傲慢《ごうまん》に答えた。「人間どうなっても、煙草なしじゃ、生きて行けねえ。情況が悪くなればなるほど、煙草をほしがるから妙だ。現にこうやって細々ながら、商売があるものな」

「そうでもねえぜ、おっさん」

「おめえの売り方が悪いからだ。兵隊は最後の一本の芋は、煙草と取り替えるもんだ」

この間にも道に兵士の列は絶えなかった。将校らしい一団が通りかかるのを見ると、永松は駈《か》け出し、敬礼して、煙草の葉を差し出した。将校は諾《うなず》いて受け取った。傍についていた下士官が永松を殴った。

「馬鹿野郎。こんな時に煙草なんぞ交換してる奴があるか。さっさと集合地へ急ぐんだ。いいか」

と下士官は怒鳴った。そして一団は遠ざかって行った。

頬《ほお》を撫《な》でながら帰って来た永松を、こんどは安田が怒鳴りつけた。

「品物を受け取る前に、渡す奴があるか。いつまでお前はそう頓馬《とんま》なんだ」

「殴って持ってかれたのは、これが初めてだ」

「これからもあるこった。気をつけろ。馬鹿」

その他口汚い罵倒《ばとう》の言葉が続いた。私は立ち去る時だと思った。

歩き出す私を、安田はまだ忿懣《ふんまん》の残った眼で睨《にら》んでいたが、永松は未練がましく随《つ》いて来た。

「まったくやり切れねえよ」と彼はこぼした。「いい加減でほっぽり出したらいいじゃねえか。ああまでいわれながら、彼奴《あいつ》の世話をする義理もねえだろう」

「義理はねえが、彼奴と別れて、どうも俺には一人でやって行けそうにもねえ。彼奴の煙草がなくっちゃ、早い話明日食うものがねえもの」

「そんなに煙草が大切かな。お前だってそこに少しは持ってるんだろう。逃げちまえ」

「そうは行かねえ。彼奴がちゃんと握って放さねえんだ。商売があるたんびに、一枚ずつ渡してくれる」

私は吹き出した。しかし気の弱い永松が、一度安田につかまった以上、なかなか逃れられない理由も呑《の》み込めた。

「まあこんなとこで煙草売りで手間取るより、早くパロンポンへ行った方が勝ちだぜ」

「ほんとをいうとな」と永松は声を低めた。「安田はパロンポンへ行く気はねえんだ。どこでもいい、米《べえ》さんに会い次第、手を挙げるつもりなんだ。ただ、米《べえ》さんは飛行機や迫撃砲で来るばっかりで、なかなかお目に掛れねえ」

私は永松の蒼い長い顔を見凝《みつ》めた。

「おめえも降服するつもりなのか」

「そんな時になってみねえとわからねえが、まあ、何でも安田のする通りに、するつもりだ」と下を向いて彼は答えた。

私はとにかく「さよなら」といって彼等を見棄てた。足を早めて先に行った伍長達を追ったが、なかなか追いつくことは出来なかった。

二三　雨

それから雨になった。生物の体温を持った、厚ぼったい風が一日吹き続けると、雨が木々の梢《こずえ》を鳴らし、道行く兵士の頭に落ちて来た。レイテ島は雨季に入ったのである。

草の間を火山礫《れき》が平らかに埋めた道は、うっすら水がたまって、靴で快く蹴立《けた》てられたが、赤土の登路はよく滑って、飢えそして大抵は脚気《かっけ》にかかっていた、兵士達の膝《ひざ》を疲れさせた。雨はシャワーのように機械的に連続して降り、ぴたりと止《や》み、また不意に、栓《せん》をひねったように落ちて来た。そうして幾日も幾日も降った。

兵達は肌《はだ》まで濡《ぬ》れた。雑嚢《ざつのう》も濡れて重さを増し、固くしまった釣紐《つりひも》が、襦袢《じゅばん》に粘着して、食い込むような重さを肩に加えて来た。背負った鉄帽の細紐が痛かった。遺棄された鉄帽が増えた。

私は伍長達《ごちょうたち》に追いつこうとして足を速めたが、私の脚では、すぐ前を行く兵を、追い抜くことも出来なかった。二日そうして無駄《むだ》の努力を続けた後、私は彼等から塩で買った友情を、回収することを諦《あきら》めた。

兵士が倒れていた。彼等の体の下部は、草を流れる水に浸されていた。水に顔を伏せて動かないのは、息絶えたのであろう。

「俺達《おれたち》も今にこんなになるのかなあ」

と通行者が呟《つぶや》くと、

「何をっ」

と、その屍体《したい》が水に濡れた顔をあげた。

かつて私が海岸の村で見たように、脹《ふく》れ始めているのは、完全に死んだ者であった。蛆《うじ》が水に流れ出し、屍体から二、三尺離れた草の根にかたまって、もがいていた。

屍体はピンと張った着衣のほか、何も持っていなかった。靴もはぎ取られたとみえ、裸《あら》わな足が、白鳳《はくほう》の天女の足のようにむくんで、水にさらされていた。

雨に濡れた草の、青酸《あおず》っぱい臭《にお》いに混って、私のよく知っている、あのつんと鼻をつく臭気が、緑の間に漂っていた。

時たま雨があがって、眩《まぶ》しい陽光が木々のあわいから差し込む時、兵達は林中に坐《すわ》って裸となり、衣服を干した。彼等の体は痩《や》せ垢《あか》によごれていたが、その褐色《かっしょく》と、拡《ひろ》げた軍服の黄、褌《ふんどし》の白が、湯気をあげる下草の上に点在するのは、珍らしく花やいだ光景であった。

雨のため頭上に飛ぶ米機が減ったかわりに、敗兵の列は自働小銃を持つゲリラによって、側面から脅《おびや》かされた。道はレイテ島を縦走する脊梁《せきりょう》山脈の西の山際《やまぎわ》に沿っていたが、そういうゲリラの攻撃によって、我々はさらに山奥の杣道《そまみち》へ追い込まれた。川もいくつか越えねばならなかった。水嵩《みずかさ》を増した濁った流れが、飢え疲れた兵士の足をさらって、呆気《あっけ》なく川下に運んで行った。

オルモックの町の灯《ひ》を左後にした頃《ころ》から、山脈は低くなり丘と谷が錯綜《さくそう》して来た。磯波《いそなみ》のようにまくれ返った頂上を並べた低い丘が、海岸方面に連り、道はその裏側を廻《まわ》った。丘と脊梁山脈の前山との間は、出水の後の泥《どろ》のような、平らな原が埋めていた。

丘と原は雨に煙っていた。雲がさがって、丘の頂の木を包み、突然吹く風に、低く遠く吹き散らかされた。その度に野を蔽《おお》う雨の条《すじ》に、縞《しま》が移動した。

濡れた兵士の歩みは遅く、間隔は長くなった。濡れた靴と地下足袋はどんどん破れて、道端に脱ぎ棄てられた。しかし「履けない」という判断は人によって異るとみえ、それ等脱ぎ棄てた靴を拾って穿《は》き、次に棄てられた靴を見出《みいだ》すと穿き替え、そうして穿き継いで行く者もあった。

私が原駐地以来穿いていた靴は、山中の畠《はたけ》を出た時既に、底に割れ目が入っていたが、或る日完全に前後が分離した。私は裸足《はだし》になった。

二四　三叉路《さんさろ》

レイテ島北部の地勢は、脊梁山脈が東タクロバンから北カリガラに到《いた》る平地になって尽きるところ、西へ耳のように張り出した半島から成立っている。脊梁山脈とは別の山系に属するらしい低い山脈が半島を南北に走り、南に長く突出して、オルモック湾を抱き、湾の底部の、いわば耳朶《みみたぶ》の附根《つけね》に、オルモックの町を位置させている。

平行した二つの山脈の間は湿原で、その中をオルモックから北上する国道、所謂《いわゆる》オルモック街道が北岸カリガラに通じ、海岸沿いに脊梁山脈の北を迂回《うかい》して、東の方タクロバン平原に降りている。

米軍の東西の連絡は成り、リモン、バレンシヤ等、沿道の要地は尽《ことごと》くその手に落ちていた。国道には、絶えず戦車やトラックが走り、各所にゲリラの屯所《とんしょ》があって、この国道を突破するのが、半島の西南端パロンポン集結の軍命令を受けた、レイテ島の全将兵の重大問題であった。リモン北方でパロンポンへ向う一道が分れているところ、通称「三叉路」附近が、それから先の湿原の行程を楽にするという意味で、特に敗兵達によって窺《うかが》われた地点であった。

戦闘の初期、タクロバン平原から脊梁山脈を迂回しようとした米軍と一時対峙《たいじ》した精鋭部隊が、この辺に多少の部隊体形を保ちつつ残っていた。或る夜我々は丘の向うの国道上に、聞き馴《な》れた日本軍の機銃と小銃の音が起るのを聞いた。強行突破であった。

「ちぇっ、困るなあ。ああ派手にやられたんじゃ、あとから行く俺達が、やりにくくってしようがねえ」

と一人の下士官が呟いた。

草原が巾着《きんちゃく》の底のように、丘に囲まれて行き止ったところから、一方の丘に上ると、頂上に兵達が群れていた。繁《しげ》みに身を潜め、稜線《りょうせん》の彼方《かなた》を窺っていた。

前は湿原が拡《ひろ》がり、土手で高められた一条の広い道が、横に貫いていた、これが国道であった。

湿原は左側に開け、孤立したアカシヤの大木を、島のように霞《かす》ませつつ、遠い林まで到っているが、右側は道の向うに木のよく繁った丘が岬《みさき》のように出張り、さらに裾《すそ》から低い林を、磯のように、湿原の上に延ばしていた。

林の上に遠く、一つの岩山が雲をかぶっていた。半島山脈の主峰カンギポット山は、敗軍の首脳部によって「歓喜峰」と呼ばれていたが、その年老いた鐘状火山の山容は、レイテの敗兵にとって、「歓喜」よりは「恐怖」をもって形容されるに、ふさわしかった。

右手、視野のはずれの国道上に、少しばかり人家のかたまったところが、「三叉路」だということである。パロンポンへ行く道は、そこから分れ、ほぼ「歓喜峰」に向って、前方の丘裾の、林の中を廻って行く。

「要するに、あの林まで行きゃ、いいわけさ」と斜面に伏せた兵の一人が教えてくれた。

国道には時々米軍のトラックや、緑色の小型自動車が通った。私が接触した最初の「敵」である。トラックには深い鉄帽をかぶった兵士が乗り、我々の潜む斜面に、気《き》紛《まぐ》れに自働小銃を打ち込んで行った。或《ある》いは何か叫んで行った。

「ちぇっ、馬鹿にしてやがら。給与もいいらしい。みんな豚みたいに肥りやがって」

木にさえぎられ姿は見えなかったが、その皮肉な調子は聞き覚えがあった。二日前とても追いつけないと諦めてしまった伍長のものであった。

「班長殿じゃありませんか」と思わず叫んで、私は立ち上った。

「こら、大きな声を出すな」

と傍《そば》から一団の指導者らしい下士官が、低声でたしなめた。

叢を廻ったところに、依然として三人連れのまま、脚絆《きゃはん》を脱いで寝そべっているのは、たしかに伍長であった。彼は明らかに迷惑そうな表情を浮べた。

「何だ、おめえ、まだいたのか」

「はい、戦友に会いまして、ついおくれました。すまなくあります」

「別にすまねえことはねえが」彼は苦笑した。「これからあの道を突切《つっき》るのが一仕事だぞ」

「夜になってから、行くのでありますか」

「はは、夜じゃなきゃ、行けねえにはきまってるが、あの原っぱは相当もぐるぞ」

国道まで一町ばかり拡がった湿原は、これまで丘の裏側に通って来た草原と違い、表面に青海苔《あおのり》のような水草を浮べていた。

「どのくらいもぐるかな」

と上等兵がぼんやり湿原に眼を向けながら呟いた。

「そりゃ、おめえ、上から見ただけじゃ、わからねえ。どうも、もうちっとましなところが、ありそうなもんだが、みんなここへ団《かたま》ってるところをみると、これでも一番いいんだろう」

「道からこっちは膝までだが、あっちは大したことないそうだ」

と少し離れて伏せていた兵士が振り向いて、答えるようにいった。

「へえ、よく知ってるな、おめえ、渡ったことでもあるのか」

この言葉の嘲笑的《ちょうしょうてき》な調子は、いくら他人のいうことが信用出来ない戦場でも、少し異常であった。相手は傷つけられたように、暫《しば》く黙っていたが、最後に誰《だれ》にいうとなく呟いた。

「前に三叉路の弾薬補給所にいたっていう兵隊から聞いたんだ……嘘《うそ》だと思うんなら、勝手にしろ。誰も頼みゃしねえ」

そして立ち上って行ってしまった。背の高い、手足の関節の接合が悪いように、ふらふら歩く兵士であった。

「ふふ、変な野郎だな。何も怒るこたねえだろうに」と伍長はなおも笑顔をくずさずにいった。「まあ、なんでもいい。お互えに、とにかくパロンポンとやらへ行けりゃいいんだ。そこで司令官か参謀が、大発でセブへ渡るんでも、見送らして貰《もら》おうじゃねえか」

一行で最も体の衰弱もひどく、気も弱そうな一等兵が、私の傍に寄って来た。

「おい、お前、塩まだあるか」

塩は雑嚢の中で雨に浸されていた。芋はとっくに尽きていたので、私は道々雑嚢を透《とお》して滲《にじ》み出す、その鹹《しおから》い水だけを嘗《な》めて来たのである。

「はい、持っておりますが……」

「俺はもうねえんだ。班長に召し上げられたんでね。どうだろう、もう少し分けてくんねえか」

私は渋々雑嚢を開けた。雨に滲《し》みた黒く粗い比島の塩は、雑嚢の底でごみと一緒に固っていた。私は指でつまもうとすると、

「待て、あっちへ行こう」

一等兵は私の手をとり、伍長から見えないところまで引いて行った。そして改めて、

「有難《ありがと》う」

といって塩を受け取ると、すぐ呑み込んでしまった。

「ちょっとお前に忠告したいことがあるんだがね」

「………」

「お前は班長殿、班長殿って、俺達について廻ってるが、いい加減にした方が、いいんだぜ。俺はニューギニヤからずっとあの班長と一緒だが、こき使われるばかりで、何もして貰った覚えはねえ。班長ってのは、兵舎じゃ可愛《かわい》がってくれるが、前線じゃ、なまじ戦争を知ってるだけに、冷たいもんだよ。お前もそうやってついてるうちにゃ、どうせその塩もすっかり巻き上げられた上、……まあ、おっぽり出されるのが落ちさ」

「ニューギニヤで人間を食ったたって、ほんとですか」

「人間か」といって、彼は夢みるように眼《め》を空へ向けて、暫く黙っていた。「まさか、ってことにしておこう……そんな話より、面白《おもしれ》え話してやろう。ブナから転進の途中のこった。ここよりもっとひでえ行軍だったよ。胸を射《う》たれて、道端まで匍《は》い出して、虫の息の若い兵隊を見つけた。『あいつを殺して下さい。あいつは非国民です』っていうんだ。彼奴《あいつ》っていうのは、その兵隊と二人で歩いてた分隊長さ。だんだん聞いてみると、そいつは分隊長から一緒に投降しようと誘われたんだね。ところがきかなかったもんで、分隊長がそいつを射って、一人で行っちまったらしい。ひでえことをしやがる。殺さなくってもよさそうなもんだよ、ねえ」

「そうですねえ」

「あの頃はまだ純情な兵隊が沢山いた。それでも、班長にゃそういうひでえ奴《やつ》がいたのさ。だから……」

「ええ」

「だから、うちの班長もそうだとはいわねえが、要するに下士官なんて、心で何を思ってるのか、わかんねえものさ……俺は部下だから、離れるわけにゃいかねえが、お前は勝手な体だ。補充兵一人じゃ、さぞ心細かろうが、とにかく一人で行ったらいいじゃねえか。それが一番だ」

「わかっております」

「そうか。わかってりゃいい。そのつもりで、まあ、ほどほどについて来ねえ」

帰って行く我々を、伍長は横眼で迎えた。

「何を、こそこそ話して来やがったんだ、お前達降服の相談か。手を挙げるんなら、今がチャンスだぞ。これからパロンポンの方へ入っちまっちゃ、何時《いつ》また米《べえ》さんにお眼にかかれるかわからねえんだ……ほら、また優しそうな兵隊が通らあ」

前に「巡回牧師」と書いた小型自動車が、国道を通るところであった。カーキ色の軍服を着た小柄《こがら》の老人が、窓から首を出し、両側をきょろきょろ見廻しながら、運ばれて行った。

「やい、てめえ等《ら》」

と伍長の声で振り向くと、銃口が向いていた。

「投降出来るもんなら、してみろ。そんな真似《まね》、させねえんだぞ。恥を知れ。わざと落伍《らくご》しようったって、そうは行かねえ。いやでもパロンポンまで、引っぱってくから、そう思え。変な顔をするねえ。はっはっはっはっは」

二五　光

雨は依然として湿原を曇らせつつ、次第に暗くなって行った。まず遠い「歓喜峰」が消え、アカシヤの木が消え、次いで前面の林が消えて、やがて何も見るもののない闇《やみ》となった。米軍の車輛《しゃりょう》の往来もとまった。

待ち構えたように、暗闇の中で物音が起った。重い物が濡《ぬ》れた土を滑り降りる音に、呟《つぶや》く声が交った。伍長《ごちょう》も動く気配であった。

「みなさん、出掛けますか」

「うるせえ。これからは決して口を利《き》くんじゃねえ。さもないと、叩殺《たたきころ》すぞ」

木にぶつかり、叢《くさむら》に引っかかりながら、私は足から先に滑って斜面を降りた。両側にも同じ音が連続するのを意識していたが、降り切ると音が絶えた。人がいるのかいないのか、わからなかった。伍長達は無論探しようがなかった。

前方の湿原にも何も動く気配がなかった。何かの手違いで、みなは突破を中止したのではないだろうか、と恐怖が私を捉《とら》えた。

その時前方の暗闇で音がした。飯盒《はんごう》と剣の触れ合うような音であった。音に誘われるように私の足は前へ出た。

深い草の繁みがあり、水の流れる音がした。私の裸の足は冷い水を感じ、脛《すね》まで漬《つか》った。次の足は草の根の束に載った。それから二尺ほど落ち込み、そしてはっきり泥が始った。

泥は脛まであった。ずるずる入る足裏は、固定した基盤に触れなかった。そこまで踏みおろした泥の厚さで、やっと支えている、そういう不安定な感じであった。肩に担《かつ》いだ銃の重さが、それだけ足を沈めるように思われた。進むにつれて、泥は深くなった。

右も左も、ただ闇が拡がっていた。雨はいつか止《や》み、遠く犬の鳴く声が断続して、湿った空気の底を伝って耳に届いた。

頭を下げると、国道の土手の線が前方の闇を横に長く切って、ほのかに空と境しているのが見えた。それが目標であった。しかしなかなか近くならない。

泥はますます深く、膝《ひざ》を越した。片足を高く抜き、重心のかかった他方の足が、もぐりそうになるのをこらえ、抜いた足で、泥の上面を掃くように、大きく外に弧を描いて前へ出す。その足がずぶずぶと入る勢に乗って、後に残した足を抜き、同じように前へ出す。

私は疲れて来た。もし前方の泥がこれ以上深ければ、完全に動けなくなる。そしてそのまま夜が明けてしまえば、私は泥から上半身を出した姿で、道を通る米兵に射たれねばならぬ。

怖《おそ》ろしい瞬間であった。他の兵士等もこんなひどい泥に漬っているのだろうか。みなも私と同じだろうか。それが確かめたかった。私は叫びたかった。この時私の声を抑えたのは、叫べばおこられるだろうという怖れであった。

引き返そうか、という考えが頭を過ぎたが、これまで来た泥を、帰って行くことも、出来そうな気がしなかった。ままよ、行けるところまで行って、動けなくなったら、殺されてもいいではないか。死ぬまでだ。これまでにも幾度か、そう自分に納得さして来たではないか。

死の観念は、私に家に帰ったような気楽さを与えた。どこへ行っても、何をしてみても、行手にきっとこれがあるところをみると、結局これが私の一番頼りになるものかも知れない。

私は不意に心が軽く、力が湧《わ》くように思った。泥から足を抜く動作の一つ一つも、最早《もはや》私にはどうでもよい、任意のものと感じた。そして早く進んでいるような気がした。

この安易な感覚に伴って、一つの奇妙な感覚が生れて来た。私は自分の動作が、誰かに見られていると思った。私は立ち止った。しかし音もない暗闇の泥濘《でいねい》の中で、私を見ている者がいるはずはなかった。私はすぐ自分の錯覚を嗤《わら》い、再び前進に戻《もど》った。

しかし私は間違っていた。私を見ていた者はやはりいたのである。証拠は、見られているという感覚を否定してからは、私の動作は任意、つまり自由の感じを失い、早くなくなったことである。

目的の土手は意外に早く、不意に私の前に立ちふさがった。人の吐く息が聞えた。さし延べた私の左手は前に行く者の剣鞘《けんざや》に触れた。思わずつかむと、その者は、

「煩《うる》せえな。附《つ》くな、附くな」

と低く鋭くいった。伍長の声だと私は思った。泥はやや浅くなっていた。それからまた二足、殆んど腿《もも》まで深く入って、次の足は棚《たな》のように高い、固い土盤に乗った。土手の底の一部であった。私は銃を下した。一間ばかり高い土手の草に、人影の蠢《うごめ》く気配が感じられた。がさがさと草につかまって、登って行くらしかった。

国道は闇の中に、白く左右に延びていた。固い砂利に肱《ひじ》をつき、銃を曳《ひ》きずって横切る時、私はその道の白さが、蟻《あり》のように匍う黒いもので埋められているのを認めた。犬の声がまた耳について来た。

対面の草の斜面を素速く滑り降りた。水がそこに音を立てて流れていた。音を聞きながら跨《また》いで越した先の泥は、昼間見知らぬ兵士が予言したように、踝《くるぶし》までしか入らなかった。何気なく立ち上って歩こうとすると、

「馬鹿《ばか》、匍え」と声がかかった。

我々は匍って行った。前方には黒々と林の輪郭が見えた。あそこまで行けばよい。肱と膝を用いる中腰の匍匐《ほふく》の姿勢で、早く進んだ。

周囲の闇が私と同じ方向に進む、兵士の群で満ちているのを私は感じた。私は再び私ではなく我々になった。

チッとその群の中で、金属が金属に当る音がした。途端に前から光が来た。同時に弾が来た。「戦車」と二、三の声が叫んだ。

咄嗟《とっさ》に腹匍いになった私は、前方の林に、巨人の眼のように輝いて動く、数個の光源が並んでいるのを認める暇があった。そして私の両側の草原が、交錯する光芒《こうぼう》に照された、伏せた兵士で埋っているのも。

土に額をつけた。顔の両側の小さな視野に光が輝く毎に、弾が風にあおられるように、頭の上を薙《な》いで通った。私はじりじりと後へ下った。物を叩くような発射音と、左右の泥のはね上る鈍い音の合間に、私は自分の手と足の運動を、高速度写真を見るように、のろく意識した。

「やられた」

と負傷を告げる声が聞えた。

「わーっ」

と叫ぶ声が、立ち上り、前進して、途切れた。私は再びそれが伍長だと思った。

私も立ち上り、後向きに駈けた。土手の草は、その上に自分の影がうつるかと思われるほど、明るかった。その明るさ目がけて駈け続けた。

（土手の手前に溝《みぞ》があったっけ、あそこまで）

溝の岸の、エメラルドに光る草から、横ざまに倒れ込んだ。

溝の水は音を立てて流れていた。弾は私の上を渡り、光も渡って、相変らず土手を明るくし続けていた。暫くはこうしていられる、と私は思った。戦車は湿地を渡っては来ないだろう。米兵は多分突撃しては来ないだろう。

どれほど時間が経《た》ったろう、銃声が熄《や》んだ。探照燈の光だけ、いつまでも土手の草の上を往来し、やがて一つ残った光が、叫声のように一個所《かしょ》にじっとしていたが、消えた。

あとは再び暗黒と静寂であった。何も動くものはなかった。私と一緒に匍匐前進した兵達は、何処《どこ》へ行ったかわからなかった。眼にかぶさる闇と、私の体に沿って流れ続け、次第に肌《はだ》まで滲《し》み込んで来るらしい水と、泥と草の匂《にお》いだけが、私の世界であった。

私は深く吐息し、身をもたげた。林は何事もなかったかのように、もとの暗さで、黒々とそこに横わっていた。犬の声がまた耳についた。

物音が、道の一方から進んで来た。雨であった。囁《ささや》くような声が、混っていた。それから何かを歌うような、ブリキを叩くような音が。

私はのろのろと土手を攀《よ》じ、土に耳をつけて、近づく足音のないのを確めると、蟇《がま》のように素速く道を横切り、頭から先に転り落ちた。

そこで暫く休んだ後、私は再び泥を渡り出した。銃はいつか手になかった。そのためか、帰路は往路より、よほど楽なような気がした。

二六　出現

その道が白く明けて行くのを、私は丘の頂の叢から眺《なが》めた。道の向う、林の前の原に、日本兵の屍体《したい》が点々と横わっているのが見えた。その数は、昨夜戦車に照された時見た数より、遥《はる》かに少ないと思われた。

（俺みたいに逃げて来た奴も、いるのかな）

雨はあがっていた。遠く海の上らしい空に、鼠色《ねずみいろ》の雲が厚く重なった上から、髪束のように高い積雲が立ち、紅《あか》く染っていた。

歓喜峰も染っていた。人面に似た岩の突出部は赤く照し出され、蔭《かげ》は紫に沈んで、まだ白い黎明《れいめい》の光にひたされている、丘と野の上に際立《きわだ》っていた。

（あそこへ行くのは駄目《だめ》らしい）

そう思うと、今あの山の麓《ふもと》で目を醒《さ》ましているに違いない兵士の姿が、たとえ日本の兵隊の惨《みじ》めな起床の行事の裡《うち》であろうとも、故郷の庭で遊ぶ古い友を偲《しの》ぶような、懐《なつか》しさで思いやられた。

（しかしあそこへ行くのはもう駄目らしい）

それから弾が来た。迫撃砲の乾いた発射音が前方の林で起り、私のいる丘は一面に射たれた。私は急いで反対の斜面を下り、弾の来る方向に背を向けて、一つの窪地《くぼち》に身を潜めた。弾着はだんだん延びて、私の周囲も喧《やかま》しい炸裂音《さくれつおん》で埋った。土煙はさらに下の草原を渡り、向い側の丘を匍《は》い上った。木の枝が飛ぶのが見えた。

恐らく昨夜の銃声に驚いたのであろう、あたりに日本兵の姿はなかった。その空虚な緑の丘と原が、ひたすら射たれた。

弾は一通り私の視野を埋め尽すと、さらに遠く脊梁《せきりょう》山脈の中までも拡《ひろ》がって行った。

一時間もたったかと思われた後、遂《つい》に砲声が熄んだ。すると飛行機が一機、低く丘の頂をかすめて現われ、斜面の林に機銃掃射を加えて去った。爆音は遠ざかり、空で鋭い旋回音を聞かせると、また空気を破る音を立てて丘に現われ、射って舞い上った。そうして様々の角度から、反復して射って廻《まわ》った。

その飛行機も遂に去った。私は再び丘の稜線《りょうせん》を越し、広い湿原と三叉路《さんさろ》を見渡すところへ出た。

国道にはもう米軍のトラックが往来し始めていた。左の方、開いた湿原の向うの林に、トラックが姿を現わす前から、射撃の音が聞えて来た。兵士達はひたすら射ち続け、「うえい」と喚声を挙げながら、私のいる丘の林を盲滅法に射って、通り過ぎた。

やがて一台の赤十字のマークを附《つ》けた車が道に止り、五人の衛生兵が下りた。無造作に林の前に散らばった日本兵の屍体を点検して廻った。二人が車へ帰り、後部の開き戸から、乱暴に担架を引きずり出すのが見えた。重ねたまま、倒れた日本兵の間へ持って行くと、馴《な》れた動作で地上に並べた。そして何か叫声をあげながら、そのそれぞれに一つずつ、屍体を載せて車まで運んだ。

内部へ収容するまで、一つの担架が暫《しばら》く道の上に放置された。その上に横わった屍体の頭部に、米兵が何か挿《さ》すのが見えた。ライターが光った。すると意外にもその屍体が軽く頭をもたげた。細い煙がゆるやかに日光の中に立ち上った。煙草《たばこ》であった。その屍体は生きていた。

やがて担架の全部を収め終ると、扉《とびら》が閉められ、米兵も乗って、車は走り去った。

私は息を詰め、この情景を見続けた。あの同胞は生きていた。負傷しただけで、生きていた。そして今後も米軍の病院で生き続けるであろう。それから祖国の土に松葉《まつば》杖《づえ》を突いて、いつまでも、多分死ぬまで生き続けるであろう。

私が昨夜擦《かす》り傷一つ受けず、逃げて帰ったのが、幸運であったかどうか、疑問であった。

その日一日、私は道に再び赤十字のマークをつけた車が来るのを見張っていた。トラックは絶えず通り、相変らず威嚇射撃《いかくしゃげき》を続けて行った。しかし私の待つその車は二度と来なかった。

この時私が降服をするつもりであったかどうかはいい難《がた》い。私はただ何となくその赤十字の車を、待っていたいだけである。米兵が負傷した日本兵を救うという事実も、現に私が負傷していない以上、私と何の関係もなかった。

ただこの時私が降服の用意をし始めていたということは出来よう。これが一旦パロンポンからの生還の希望を持ち、それが阻《はば》まれたという状態の、自然の帰結であった。私は再び銃を失い、降服するなら殺すぞと脅かした伍長《ごちょう》は、もういなかった。用意は赤十字の車を無駄に待った一日の焦躁《しょうそう》と一夜の熟考の後、決意に変った。希望は反芻《はんすう》するにつれて、大きくなった。

問題は私の降服の意志をどうして「敵」に表示するかであった。私が思いついたのは、やはり白旗という古典的方法であった。

この時私の持物で白いものといえば、褌《ふんどし》一つであった。それも垢《あか》と泥《どろ》によごれ、茶褐色《ちゃかっしょく》になっていた。この標識が通用するであろうか。敵はそれを遠方から「白旗」と認めるであろうか。

殊《こと》に私に障害と映ったのは、道まで一町の泥濘《でいねい》であった。米兵に曖昧《あいまい》な標識を持った敵兵として、私を射たせることなく、この距離を渡ることが出来るであろうか。

私は湿原のもっと狭いところを探すことにした。南の方が広くなっているのはたしかだったので、私は夜明を待ち、稜線を北に進んだ。私の眼には、湿原はなかなか狭くならなかった。そして雨が降って来た。泥は一層深くなるのではないかと、私の希望は絶えず脅《おびや》かされた。

歩きながら、私はむしろ日本兵に遇《あ》うのを怖れた。彼等に遇えば、現在私の唯一《ゆいいつ》の生きる道を選ぶことが出来なくなる。この時なら、私は私の遇う最初の日本兵を殺したかも知れない。

幸い、私は誰にも遇わなかった。三叉路の部落を越し、向うの丘が近く道に迫ったところで、私は遂に適当と思われる地点を見つけた。道との距離は十間であった。そして、何となく泥が深くないように思われた。

雨の中に日は暮れて来た。前方に樹《き》を持った丘が迫り、中を白い道が走り、泥の湿原がある。その場所の風景を、私は芝居の書割《かきわり》のように、はっきり覚えている。それはもはや熱帯の山野でもなければ、戦場でもない、任意の場所であった。私にとってただ降服という確率の不明瞭《ふめいりょう》な行為を行う場所であった。何だ、こんなことか、と私は思った。

私はその任意の舞台へ登場の時を待つ、俳優のような気がした。そして私は再び誰かに見られていると思った。

一台の小型自動車が来て、私の潜む叢の前で止った。故障らしく、降り立った一人は、後部に廻って車輪を調べ、他の一人は銃を構えて、四方へ眼を配っていた。

(駄目だ、こいつは射たれる)

さらに大きな障害がそこにあった。

笑って何か喚《わめ》きながら、一人の比島の女が、車から出て来た。緑色の米軍の制服と脚絆《きゃはん》をつけ、腰に弾帯を巻いて、軽く自働小銃を肩にかけた、勇ましい姿であった。彼女は白い歯を出し、警戒の米兵に身を寄せて、屈託なさそうに笑った。

私はそのゲリラの女兵士が海岸の村で殺した女に、似ていると思った。そしてここへは出て行けないと思った。

私は忘れていた。私は一人の無辜《むこ》の人を殺した身体《からだ》であった。同胞に会ったため、生還の希望を持ち、さらにその延長として、降服によって救命の手段を求めているが、そうだ、私はたとえ助かっても、私にはあの世界で生きることは、禁じられていたはずであった。

任意の状況も行為も私には禁じられていた。私自身の任意の行為によって、一つの生命の生きる必然を奪った私にとって、今後私の生活はすべて必然の上に立たねばならないはずであった。そして私にとって、その必然とは死へ向っての生活でなければならなかった。

私は既に標識として、茶褐色の褌を木の枝に結んだ「白旗」を用意していた。私はそれを地上においた。そして今すぐその死の必要を充《み》たすため、私が殺した女によく似た女兵士の銃の前に、身を曝《さら》そうかどうかと思案していた。

その時、十間ばかり離れた叢から、一つの声が起った。声は「こーさーん」といっていた。

両手を高く挙げた一個の人影が躍り出た。そしてなおも「こーさーん」と叫び続けながら、道へ、自動車へ向って駈《か》けた。

私はその日本兵をまた伍長だと思った。彼は叫びながら駈け、泥に足を取られてのめった。

銃声が起った。一発の上に、容赦なく五、六発重った。女兵士は自働小銃を腰にあてて、発射していた。米兵が慌《あわ》ててその銃身を握るのが見られた。女はなおも白い歯をむき、銃を米兵と争って喚き続けた。

日本兵は、泥の上に伏し、動かなかった。緑色の襦袢《じゅばん》の背中に、あざのような赤い斑点《はんてん》が現われ、次第に拡がって行った。

私は心臓に痛みを感じた。射たれたのは私だと思った。

一昨夜から私が見られていたのは、あの比島の女だと思った。しかし私はまだ間違えていた。

二七　火

行き暮れた中世の旅人が、一つ道の行きどまりに門を見つける、叩《たた》いてみるが、答はなく、門は開かれない、旅人は力無く引き返す、丁度そのように、私はその米兵と比島の女兵士のいる道から引き返した。中隊を出て以来、幾度となく「引き返した」経験の、最《も》早《はや》これが最後であると、私は感じた。

自然は、昨日からの砲撃によって、新しく破壊されていた。野は蟻地《ありじ》獄《ごく》のような擂《すり》鉢状《ばちじょう》の穴で蔽《おお》われ、林の樹は幹が折れ、枝が飛んでいた。

到《いた》るところに屍体があった。生々しい血と臓腑《ぞうふ》が、雨あがりの陽光を受けて光った。ちぎれた腕や足が、人形の部分のように、草の中にころがっていた。生きて動くものは、蠅《はえ》だけであった。

ここに私の最も思い出し難《がた》い時期が始まる。それからなお幾日か、私が独りで歩いた時間は、暦によって確認されるが、その間私が何をし、何を考えたかを思い出すのに、著しい困難を感じる。

無論我々は過去を尽《ことごと》く憶《おぼ》えているものではない。習慣の穴を別としても、重なる経験が似通っているため、後の経験が前のものを蔽い、奇妙な類似化が行われる。この種の累積《るいせき》だけが自我の想起可能の部分である。

この時期の私の経験を、私が秩序をもって想起することが出来ないのは、たしかにそれがその前、或《ある》いは後の、私の経験と少しも似ていないからである。

私が生きていたのはたしかであった。しかし私には生きているという意識がなかった。

私が殺した比島の女の亡霊のため、人間の世界に帰ることは、どんな幸運によっても不可能であることが明瞭となってしまった以上、私はただ死なないから生きているにすぎなかった。不安はなかった。死んだ女も憎んではいなかった。

飢えも、食物を得る困難も、問題ではなかった。人間は何でも食べられるものである。あらゆる草を、どんなに渋く固かろうと、虫の食った跡によって毒草でないと知られる限り、採って食べた。

雨が降り、木の下に寝る私の体の露出した部分は、水に流されて来た山蛭《やまひる》によって蔽われた。その私自身の血を吸った、頭の平たい、草色の可愛《かわい》い奴《やつ》を、私は食べてやった。

私はオルモック街道とほぼ直角に、東の方、脊梁《せきりょう》山脈の方へ入って行った。急な丘が錯綜《さくそう》し、谷が迷路のように入り組んでいるのは、この地方が地質時代に沈下して海に溺《おぼ》れた後、再び隆起したことを示していた。

川と原と草と林の、単調な繰り返しの間に、自然は砲撃の跡を絶ち、血と臓腑を持った屍体はなくなった。すると再びあの私のよく知っている臭《にお》いが漂い始めた。道の上、林の縁に、私は自然に死んだ者達を見た。

或いは道にその歩行の方向と平行に伏し、或いは、恐らく水を飲むためであったろう、道に沿った溝《みぞ》まで匍い出して、水に頭を漬《つ》けて死んでいた。或者は木に背を凭《もた》せて息絶えていた。或いは死後に身体に働いた雨と風の偶然によって、右或いは左に、折れ曲って倒れていた。

或いは肉の落ちた、死の直前の形を保存し、或いはかつて私が海岸の村で見たように、腐敗してふくれ上り、或いはさらに進んで、組織は液体と気体となって去り、骨だけを残していた。

これらの変移する人体の一部を包んだ衣服が、その発明者より永続するのは、奇妙な印象を与えた。

私は或る干《かわ》いた屍体についている靴《くつ》を取って穿《は》いた。臭気が手と足にしみた。生きている人間にも会った。私同様、無帽無銃裸足《はだし》で、飯盒《はんごう》だけぶらさげた姿であった。

「パロンポンはこっちですか」と彼は喘《あえ》ぎながらいった。

「こっちには違いないが、米軍がいて通れやしねえぜ」

彼はへたへたとそこへ坐《すわ》った。私は彼の身につけたもので、私の持ってないものは何もないのを、ゆっくり眼《め》でたしかめてから、通り過ぎた。

野も丘も雨に煙っていた。風と音が来て、雨が幕を引くように、片側から風景を打ち消した。

夜、なおも雨が降り続ける時、私は濃い葉簇《はむら》の下を選んで横わった。既に蛍《ほたる》の死んだ暗い野に、遠く赤い火が見えた。何の灯《ひ》であろう。雨の密度の変移に従って、暗く明るくまたたき、または深い水底に沈んだように、暈《かさ》だけになった。

私はその火を怖《おそ》れた。私もまた私の心に、火を持っていたからである。

或《あ》る夜、火は野に動いた。萍草《うきくさ》や禾本科《かほんか》植物がはびこって、人の通るはずのない湿原を貫いて、提灯《ちょうちん》ほどの高さで、揺れながら近づいて来た。

私の方へ、どんどん迫って来るように思われた。私は身を固くした。すると火は突然横に逸《そ》れ、黒い丘の線をなぞって、少しあがってから消えた。

私は何も理解することが出来なかった。ただ怖れ、そして怒っていた。

二八　飢者と狂者

いくら草も山蛭も食べていたとはいえ、そういう食物で、私の体がもっていたのは、塩のためであった。雨の山野を彷徨《さまよ》いながら、私が「生きる」と主張出来たのは、その二合ばかりの塩を、注意深く節しながら、嘗《な》めて来たからである。その塩が遂に尽きた時、事態は重大となった。

少し前から、私は道傍《みちばた》に見出《みいだ》す屍体《したい》の一つの特徴に注意していた。海岸の村で見た屍体のように、臀肉《しりにく》を失っていることである。

最初私は、類推によって、犬か烏《からす》が食ったのだろうと思っていた。しかし或る日、この雨季の山中に蛍がいないように、それらの動物がいないのに気がついた。雨の霽《は》れ間に、相変らずの山鳩《やまばと》が、力無く啼《な》き交すだけであった。蛇《へび》も蛙《かえる》もいなかった。

誰《だれ》が屍体の肉を取ったのであろう――私の頭は推理する習慣を失っていた。私がその誰であるかを見抜いたのは、或る日私が、一つのあまり硬直の進んでいない屍体を見て、その肉を食べたいと思ったからである。

しかしもし私が古典的な「メデューズ号の筏《いかだ》」の話を知っていなかったなら、或いはガダルカナルの飢兵の人肉食いの噂《うわさ》を聞き、また一時同行したニューギニヤの古兵に暗示されなかったら、果してこの時私が飢を癒《いや》すべき対象として、人肉を思いついたかどうかは疑問である。先史的人類が食べあった事実は、原始社会の雑婚と共に、学者の確認するところであるが、長い歴史と因習の影の中にある我々は、嫌悪《けんお》の強迫なくして、母を犯し人肉を食う自分を、想像することは出来ない。

この時私がそういう社会的偏見を無視し得たのは、極端な例外を知っていたからであったと思われる。そしてこの私の欲望が果して自然であったかどうか、今の私には決定することが出来ない、記憶が欠けているからである。恋人達がその結合の或る瞬間について、記憶を欠くように。

私の憶えているのは、私が躊躇し、延期したことだけである。その理由は知っている。

新しい屍体を見出す毎《ごと》に私はあたりを見廻《みまわ》した。私は再び誰かに見られていると思った。

比島の女ではあり得なかった。私は彼女を殺しただけで、食べはしなかった。

生きた人間に会った。彼の肉体がなお力を残していることは、その動作で知られた。立ち止り、調べるように私の体を見廻す彼の眼付を、私は理解した。彼も私を理解したらしい。

「おう」

と気合に似た叫びが、その口から洩《も》れた。そして摺《す》れ違って行った。

林の中に天幕を張り、眼を光らして坐っている、四、五人の集団を見た。

「おう」

と、今度は私の方から、声をかけて通過した。

私の眼は、人間ならば、動かぬ人間を探していた。新しい、まだ人間の形態を止《とど》めている屍体を。

雨があがって、空の赤が丘の輪郭を描き出していた或る夕方、私はその赤をもっとよく見るため（だったと思う）丘を登って行った。そして孤立した頂上の木に、背を凭せて動かぬ一個の人体を見た。

彼は眼を閉じていた。その緑の顔に、西の方の丘に隠れようとしている太陽の光線が、あかあかとあたって、頰《ほお》や顎《あご》の窪《くぼ》みに、影をつくっていた。

彼は生きていた。眼が開いた、真直に太陽を見ているらしかった。

唇《くちびる》が動き、言葉が洩れた。

「燃える、燃える」と彼はいった。「早い、実に早く沈むなあ。地球が廻ってるんだよ。だから太陽が沈むんだよ」

彼は私を見た。彼の眼には、私に「おう」と声をかけて摺れちがった兵士と、同じ光があった。

「兄貴、お前何処《どこ》から来たんだい」と彼はいった。

私は黙って彼と並んで、腰を下した。太陽は向うの丘に隠れ、頂上に並んだ樹の間から、光線が縞《しま》をなして迸《ほとばし》った。空に残った雲だけ、まだ金色に光っていた。我々は暫《しばら》く光る雲に照されていた。

「西方浄土だ。仏は弥陀《みだ》だ。一は一也《なり》。二は二也。合掌」

彼は手を合せ、髯《ひげ》の延びた顎を、その上辺に凭せた。雨がさらさらと落ちて来た。

彼は顔をあげ、

「あは、あは」

と笑った。開けた口をそのまま仰向けて、雨を受けようとした。喉《のど》が鳴った。呑《の》み込む時だけ、声が途絶えた。

「おい、行こうか」と私はいった。

「あは、あは、何も行くことはない。台湾から飛行機が迎えに来るはずだ。オートジャイロで、ほら、ここへ着陸するはずだ」

齢《とし》は四十を越しているらしい。雨と陽《ひ》で変色していたが、彼の服は将校の服であった。ただ剣も拳銃《けんじゅう》も持っていなかった。

「あは、あは」と彼はなおも笑っていた。食欲をそそる顎の動きであった。

暗闇《くらやみ》があたりを蔽う頃《ころ》、彼はやっと黙った。「うう、うう」という鼾《いびき》によって、彼が眠っているのを、私は知った。

私は眠らなかった。待っていた。朝の光で、まず私を驚かしたのは、彼の顔と手を蔽っている、夥《おびただ》しい蠅《はえ》であった。

「ひー」

と笛を吹くような音と共に、彼は目覚めた。蠅が音に驚いたように飛び立ち、一尺ばかり離れた空間に旋回し、或いは停止して、羽音を高くした後、また降りて来た。

彼は眼を開け、手で蠅を払い、深く叩頭《こうとう》した。

「天皇陛下様。大日本帝国様。何卒《なにとぞ》、家へ帰らして下さいませ。飛行機様。迎えに来い。オートジャイロで着いてくれい……暗いぞ」彼は声を低めた。「暗いな。まだ夜は明けないいかな」

「もう明けたよ。鳥が啼いてる」

雨のない朝であった。様々の鳥が、あたりの樹々や、谷底の林の中から、忙《いそ》がしげな声をあげ、向うの丘との間の、狭い空間を、矢のように飛び交っていた。

「鳥じゃない。あれは蟻だよ。蟻が唸《うな》ってるんだよ。馬鹿《ばか》だな。お前は」

彼は膝《ひざ》の間の土をつかんで、口に入れた。尿《にょう》と糞《ふん》の臭《にお》いがした。

「あは、あは」

彼は眼を閉じた。それを合図のように、蠅が羽音を集め、遠い空間から集って来た。顔も手も足も、すべて彼の体の露出した部分は、尽くこの呟《つぶや》く昆虫《こんちゅう》によって占められた。

蠅は私の体にも襲いかかった。私は手を振った。しかし彼等《かれら》は私と、死につつある彼と差別がないらしく——事実私も死につつあったかも知れない——少しも怖れなかった。

「痛いよ。痛いよ」

と彼はいった。それからまた規則正しい息で、彼は眠るらしかった。

雨が落ちて来た。水が体を伝った。蠅は趾《あし》をさらわれて滑り落ちた。すると今度は山蛭が雨滴に交って、樹から落ちて来た。遠く地上に落ちたものは、尺取虫のように、体全体で距離を取って、獲物に近づいた。

「天皇陛下様。大日本帝国様」

と彼はぼろのように山蛭をぶら下げた顔を振りながら、叩頭した。

「帰りたい。帰らしてくれ。戦争をよしてくれ。俺は仏だ。南無阿弥陀仏《なむあみだぶつ》。なんまいだぶ。合掌」

しかし死の前にどうかすると病人を訪れることのある、あの意識の鮮明な瞬間、彼は警官のような澄んだ眼で、私を見凝《みつ》めていった。

「何だ、お前まだいたのかい。可哀《かわい》そうに。俺《おれ》が死んだら、ここを食べてもいいよ」

彼はのろのろと痩《や》せた左手を挙げ、右手でその上膊部《じょうはくぶ》を叩《たた》いた。

二九　手

私はその将校の屍体をうつ伏せにし、顎に水筒の紐《ひも》を掛けて、草の上を引き摺《ず》った。頂上から少し下って、二間四方ぐらいの窪地が陥《お》ちているところまで運んだ。その草と灌木《かんぼく》に蔽《おお》われた蔭《かげ》で、私は誰にも見られていないと思うことが出来た。

しかし私は昨日この瀕死《ひんし》の狂人を見出した時、すぐ抱いた計画を、なかなか実行に移すことが出来なかった。私の犠牲者が息絶える前に呟いた「食べてもいいよ」という言葉が私に憑《つ》いていた。飢えた胃に恩寵《おんちょう》的なこの許可が、却《かえ》って禁圧として働いたのは奇妙である。

私は屍体の襦袢《じゅばん》をめくり、彼が自ら指定した上膊部を眺《なが》めた。その緑色の皮膚の下には、痩せながらも、軍人らしくよく発達した、筋肉が隠されているらしかった。私は海岸の村で見た十字架上のイエスの、懸垂によって緊張した腕を思い出した。

私がその腕から手を放すと、蝿が盛り上った。皮膚の映像の消失は、私を安堵《あんど》させた。そして私はその屍体の傍《そば》を離れることは出来なかった。

雨が来ると、山蛭《やまひる》が水に乗って来て、蝿と場所を争った。虫はみるみる肥《ふと》って、屍体の閉じた眼の上辺から、睫毛《まつげ》のように、垂れ下った。

私は私の獲物を、その環形動物が貪《むさぼ》り尽すのを、無為に見守ってはいなかった。もぎ離し、ふくらんだ体腔《たいこう》を押し潰《つぶ》して、中に充《み》ちた血をすすった。私は自分で手を下すのを怖れながら、他の生物の体を経由すれば、人間の血を摂《と》るのに、罪も感じない自分を変に思った。

この際蛭は純然たる道具にすぎない。他の道具、つまり剣を用いて、この肉を裂き、血をすするのと、原則として何の区別もないわけである。

私は既に一人の無辜《むこ》の人を殺し、そのため人間の世界に帰る望みを自分に禁じていた。私が自分の手で、一つの生命の歴史を断った以上、他者が生きるのを見ることは、堪えられないと思ったからである。

今私の前にある屍体の死は、明らかに私のせいではない。狂人の心臓が熱のため、自然にその機能を止めたにすぎない。そして彼の意識がすぎ去ってしまえば、これは既に人間ではない。それは我々が普段何等良心の呵責《かしゃく》なく、採り殺している植物や動物と、変りもないはずである。

この物体は「食べてもいいよ」といった魂とは、別のものである。

私はまず屍体を蔽った蛭を除けることから始めた。上膊部の緑色の皮膚（この時、私が彼に「許された」部分から始めたところに、私の感傷の名残を認める）が、二、三寸露出した。私は右手で剣を抜いた。

私は誰も見てはいないことを、もう一度確めた。

その時変なことが起った。剣を持った私の右の手首を、左の手が握ったのである。この奇妙な運動は、以来私の左手の習慣と化している。私が食べてはいけないものを食べたいと思うと、その食物が目の前に出される前から、私の左手は自然に動いて、私の匙《さじ》を持つ方の手、つまり右手の手首を、上から握るのである。

私が行ってはならないところへ行こうと思う。私の左手は、幼時から第一歩を踏み出す習慣になっている足、つまり右足の足首を握る。

そしてその不安定な姿勢は、私がその間違った意志を持つのを止《や》めたと、納得するまで続くのである。

今では私はこの習慣に馴《な》れ、別に不思議とも思わないが、この時は驚いた。右の手首を上から握った、その生きた左手が、自分のものでないように思われた。

私が生れてから三十年以上、日々の仕事を受け持って来た右手は、皮膚も厚く関節も太いが、甘やかされ、怠けた左手は、長くしなやかで、美しい。左手は私の肉体の中で、私の最も自負している部分である。

そうして暫く、力をこめたため突起した掌骨を見凝めているうちに、私が今真に食べたいと思っているのは、死人の肉であるか、それともその左手の肉であるかを疑った。

この変な姿勢を、私はまた誰かに見られていると思った。その眼が去るまで、この姿勢をこわしてはならないと思った。

「汝《なんじ》の右手のなすことを、左手をして知らしむる勿《なか》れ」

声が聞えたのに、私は別に驚かなかった。見ている者がある以上、声ぐらい聞えても、不思議はない。

声は私が殺した女の、獣の声ではなかった。村の会堂で私を呼んだ、あの上ずった巨大な声であった。

「起《た》てよ、いざ起て……」と声は歌った。

私は起ち上った。これが私が他者により、動かされ出した初めである。

私は起ち上り、屍体から離れた。離れる一歩一歩につれて、右手を握った左手の指は、一本一本離れて行った。中指、薬指、小指と離れて、人差指は親指と共に離れた。

三〇　野の百合《ゆり》

私は降りて行った。雨があがり、緑が陽光に甦《よみがえ》った。林を潜《くぐ》り、野を横切って、新しい土地の上を、歩いて行った。

万物が私を見ていた。丘々は野の末に、胸から上だけ出し、見守っていた。樹々《きぎ》は様々な媚態《びたい》を凝らして、私の視線を捕えようとしていた。雨滴を荷《にな》った草も、或《ある》いは私を迎えるように頭をもたげ、或いは向うむきに倒れ伏して、顔だけ振り向いていた。

私は彼等に見られているのがうれしかった。風景は時々、右や左に傾いた。

陽光の中を行く私の体からは絶えず水蒸気が騰《あが》り続けた。手から、髪から、軍衣から、火焔《かえん》のように立って、背後に棚引《たなび》いた。そして次第に空にまぎれ入り、やがてはあの高い所にある雲まで、昇って行くように思われた。

その空には、様々の色と形の雲が重っていた。それぞれの高度に吹く風に乗り、湧《わ》き返り、捲《ま》き返って、丘々に限られた眩《まぶ》しい青の上を行きかかっていた。

一つの谷があった。私はその谷を前に見たことがあると思った。

日本の鉄道の沿線で見馴れた谷であった。車窓に近く連った丘が切れて、道もない小さな谷が、深く嵌入《かんにゅう》している。その谷の眺めは、少年時から、何故《なぜ》か私の気に入って、汽車がそこを通る度に、必ず窓外に眼を放ったものである。

しかしその谷と同じ谷が、何千里離れたこの熱帯にあるはずはなかった。門のように迫った両側の丘の林相も、ゆるやかに上った谷底を埋める草の種類も、温帯日本の谷とは違うはずであった。しかしその時私にはどうしても同じ谷としか思えなかった。

一体寸分違わぬ風景が、地球上に二つ存在し得るであろうか。私は眼を凝らし、相違点を探したが、見凝めていればいるほど、同一性の感じは強くなった。

そしてその谷も私を見ていた。

私はおもむろに近づいた。帰りつつあるという感じが育って行った。谷の入口を限る、繁《しげ》った突端の間を過ぎると、私は体がしめつけられるように思った。

陽光が谷に降りそそいでいた。私は林の縁に蔭を選んで坐《すわ》った。日向《ひなた》の草の葉は一面に干《かわ》いていたが、根は谷一面に拡《ひろ》がって、音もなく流れる水に、洗われているらしかった。

草の間から一本の花が身をもたげた。直立した花梗《かこう》の上に、固く身をすぼめた花冠が、音楽のように、ゆるやかに開こうとしていた。その名も知らぬ熱帯の花は芍薬《しゃくやく》に似て、淡紅色の花弁の畳まれた奥は、色褪《いろあ》せ湿っていた。匂《にお》いはなかった。

「あたし、食べてもいいわよ」

と突然その花がいった。私は飢えを意識した。その時再び私の右手と左手が別々に動いた。

手だけでなく、右半身と左半身の全体が、別もののように感じられた。飢えているのは、たしかに私の右手を含む右半身であった。

私の左半身は理解した。私はこれまで反省なく、草や木や動物を食べていたが、それ等は実は、死んだ人間よりも、食べてはいけなかったのである。生きているからである。

花は依然として、そこに、陽光の中に光っていた。見凝めればなお、光り輝いて、周辺の草の緑は遠のき、霞《かす》んで行くようであった。

空からも花が降って来た。同じ形、同じ大きさの花が、後から後から、空の奥から湧くように夥しく現われて、光りながら落ちて来た。そして末は、その地上の一本の花に収斂《しゅうれん》された。

「野の百合は如何《いか》にして、育つかを思え、労せず紡《つむ》がざるなり。今日ありて明日炉に投げ入れらるる野の草をも、神はかく装い給えば、まして汝らをや、ああ信仰うすき者よ」

声はその花の上に漏斗状《ろうとじょう》に立った、花に満たされた空間から来ると思われた。ではこれが神であった。

その空間は拡がって来た。花は燦々《さんさん》として私の上にも、落ちて来た。しかし私はそれが私の体に届かないのを知っていた。

この垂れ下った神の中に、私は含まれ得なかった。その巨大な体軀《たいく》と大地の間で、私の体は軋《きし》んだ。

私は祈ろうとしたが、祈りは口を突いて出なかった。私の体が二つの半身に別れていたからである。

私の身が変らなければならなかった。

三一　空の鳥

或《あ》る日轟音《ごうおん》が空に響いた。大型爆撃機の編隊が、頭上の狭い空を渡るところであった。鳳《おおとり》のように翼を延ばして、空の青に滲《にじ》み、雲から雲へ隠れて、のろく早く過ぎた。音が空に満ち、地に反響して、耳に唸りを押し込んだ。

彼等は「神」の体を傷《いた》めて、横切りつつあった。遅れた一機は半身が青、半身が黄色に染っていた。

私は再び飢えを感じた。

音に驚いたか、谷の向うの林の梢《こずえ》から、一羽の白鷺《しらさぎ》が飛び立った。首を延ばし、ゆるやかに翼をあおって、編隊に追いつこうとするかのように、中空へ高度を高めて行った。

私の半身、つまり私の魂は、その鷺と一緒に飛び去った。魂がなくなった以上、祈れないのは当り前だ、と私は思った。今は私の右の半身は自由であった。

蠅《はえ》が降って来た。空を一面に、花のように満たして、唸りながら、真直に私の顔に急降下して来た。神の血であった。

私は立ち上り、谷を出て、光る野の中を、飢えながら駈《か》けて行った。丘を上っていた。木につかまり、草をつかんで、苦しい登攀《とうはん》であった。そして私はあの窪地《くぼち》に再び「彼」を見た。

彼は巨人となってそこに仰向いていていた。赤褐色《せきかっしょく》にふくれ上った四肢《しし》に、淡緑の文様が刺青《いれずみ》のように走り、皮膚は処々《ところどころ》破裂して、汚緑色の実質を現わしていた。腹部は帯革《たいかく》を境いに、二つの球に聳《そび》えていた。彼は食えなかった。

神がここへ来る前に、彼を変えたのである。彼は神に愛されていた。そして恐らくは私もまた……

三二　眼《め》

もし私が神に愛されているのがほんとなら、何故私はこんなところにいるのだろう。こんな蔭のない河原に、陽《ひ》にあぶられて、横わっていなければならないのか。雨は来ないか。水は涸《か》れ、褐色の礫《こいし》の間に、砂が、かつて流れた水の跡を示して、ゆるく起伏しているだけである。

雲もなく、晴れた空は、見上げると、奥にぱっと光が破裂する。眼を閉じる。

何故、こんなに蠅が来るのだろう。唸って飛び廻《まわ》り、干いた頬《ほお》に止って、むずむず動く。眼とか鼻孔とか口とか耳とか、やわらかいところを、大きな嘴《くちばし》でつつく。

何故私の手は、右も左も、蠅共を追い払おうとしないのか。私の体はただだるく感じる。しかし私の心は、自分が生きなければならないという理由だけで、他の生物を食うのは止《よ》そうと決意した以上、自分が食われるのを覚悟しなければならぬ、だから私の手は、私の粘膜を貪る昆虫《こんちゅう》を追おうとはしないのだと思う。

眼だけは勘弁しておいてくれ。見る楽しみだけは残しておいてくれ。しかし目の前のそこの砂の上に、陽に照らされて、花のように光っているものは何だろう。

足である。鶏の趾《あし》のように、干いた指が五本揃《そろ》っている。踝《くるぶし》から二寸ばかり上で切れている。切口の中央には、骨が白く、雌蕊《めしべ》のように光っている。

皮膚が巻き込んだ肉は、真黒である。いや、その盛り上った黒い曲面は、漣《さざなみ》が渡るように、揺れて動く。ひしめく蠅の黒である。

人間の足らしい。しかし何故ここに、この河原に、私の目の前に、これがあるのだろう。切ったのは私ではない。これは「彼」の足ではない。彼は腐り、ふくれ上っていたが、これはまだ趾骨《しこつ》と趾骨の間が凹《へこ》んだ、新しい足首である。

場所が違う。彼がいたのは、あの丘の上の窪地であった。どうして私はここまで来たのだろう。

誰《だれ》が切ったのだろう。どうしてこの明るい河原に、片足だけ一本、魚のように投げ出されているのだろう。

いや、私は食べたくはない。私は自分を蠅に、食べさせているところだ。

しかし何故それが私の方へ近づいて来るのだろう。揺れながら、光りながら、笑いながら近づいて来る。

私はこの感覚を知っている。二歳の私が匍《は》った時の感覚である。腕と脚の緊張の記憶は落ちているが、行く手の母の笑顔が、揺れ動いて、近づいて来る映像だけ憶《おぼ》えている。では、この時も私はその足首に向って、匍っていたのである。臭気が、私自身の汗の臭《にお》いに似た臭気が、近づきつつあった。誰かが見ている。

私は力を籠《こ》めて、私の体を転がした。横に、一つ、二つ、三つ。まだ足りない。この、砂が尽きて、萱《かや》がかたまっている蔭までだ。また一つ、二つ……

見られていると思っただけではない。私はその眼を見た。斑《まだ》らな萱の原を越え、十間ばかり先の林の暗い幹の間に、厨子《ずし》の中に光る仏像の眼のような、二つの眼だ。

眼は二つだけではなかった。その眼の下にただ一つ、鈍く白い完全な円の中に、洞《ほこら》のように黒く凹んだまた完全な円。鋼鉄の円。銃口であった。

私は獣のように、砂に耳をつけ、音を聞いた。音は近づいて来た。靴《くつ》は穿《は》いていない。ひそやかに礫と砂を踏む音であった。たしかに人間の重量を載せた足が、地球を踏む音であった。

そして遂《つい》に彼が現われた。萱を押し開いて、そこに立ち、私を見下した。

蓬々《ほうほう》と延びた髪、黄色い頬、その下に勝手な方向に垂れた髯《ひげ》、眠たげに眼球を蔽った瞼《まぶた》は、私がこれまでに見た、どんな人間にも似ていなかった。

その人間が口を利《き》いた。しかも私の名を呼んだ。

「田村じゃないか」

声は遠く、壁の向うの声のように耳に届いた。届くより先、私は彼の口が動き、汚れた乱杭歯《らんぐいば》を現わすのを、見知らぬ動物の動作でも見るような無関心で、見ていた。

「田村じゃないのか」とその口は重ねていった。

私は見凝《みつ》めた。見凝めると、却《かえ》って霞んで行くその顔貌《がんぼう》を、私は記憶を素速く辿《たど》った。いや、私はこの老人を知らなかった。彼は「神」だろうか。いや、神はもっと大きいはずであった。

ぼろぼろに破れた衣服が、日本兵の軍服の色と形を残していた。

「永松」

と、遂に病院の前で知った、若い兵隊の名を呼ぶと、目先が昏《くら》くなった。

三三　肉

足の先まで冷さが走るのを感じ、私は我に返った。傍《そば》に永松の顔があった。彼の手は私の首の下にあり、水が私の顔を濡《ぬ》らしていた。彼は笑っていた。

「しっかりしろ。水だ」

私はその水筒を引ったくり、一気に飲み干した。まだ足りなかった。永松はじっと私を見ていたが、雑嚢《ざつのう》から黒い煎餅《せんべい》のようなものを出し、黙って私の口に押し込んだ。

その時の記憶は、干いたボール紙の味しか、残していない。しかしそれから幾度も同じものを食べて、私はそれが肉であったのを知っている。干いて固かったが、部隊を出て以来何カ月も口にしたことのない、あの口腔《こうこう》に染《し》みる脂肪の味であった。

いいようのない悲しみが、私の心を貫いた。それでは私のこれまでの抑制も、決意も、みんな幻想にすぎなかったのであろうか。僚友に会い、好意という手続によれば、私は何の反省もなく食べている。しかもそれは私が一番自分に禁じていた、動物の肉である。

肉はうまかった。その固さを、自分ながら弱くなったのに驚く歯でしがみながら、何かが私に加わり、同時に別の何かが失われて行くようであった。私の左右の半身は、飽満して合わさった。

私の質問する眼に対し、永松は横を向いて答えた。

「猿《さる》の肉さ」

「猿？」

「こないだ、あっちの森で射《う》った奴を、干しといたんだ」

私は彼の顔を横眼で窺《うかが》っていた。さっき林の中に見たと思った、二つの眼と銃口の持主が、彼ではないかという疑いが、頭をかすめたからである。この明るい陽光の中でも、彼の垂れ下った瞼の下に、時々仏像の眼の光が、走るように思った。

「お前、俺を猿と間違えたんじゃないか」

永松は声をあげて笑った。

「まさか。でも、お前随分転がったもんだな。何だって、あんなに転がる気になったんだ。すぐお前とわかってよかった。とにかく起きろ。起きられるか」

「わからない」

彼は私の腋《わき》の下に手を廻《まわ》して、引き立てた。嚥《の》み下した肉が、胃につかえて、体に心棒が入ったような気持がした。立ち上ると、河原が広くなった。

「足が、足が」と私はいった。

「足？　何の足だ」

「足がある。あそこに。足首の切ったのが、転がってるんだ」

私は改めて臭いを意識した。かつて海岸の町で嗅《か》いだ、腐った屍体《したい》から発する臭いと、同じ臭いであった。

「くさい。くさい」

「うん、くさいな」

「知らなかったのか」

「知らねえな」

「そこだよ」

「わかってる。どっかの兵隊んだろう。弾にすっ飛ばされたんだろう」

一つの疑いがあった。

「相棒はどうした?」

と私は訊《き》いた。

「安田か。達者だ。お前に会ったら、喜ぶだろう」

とにかく安田の足首ではなかった。永松は腕に力を入れた。

「行こう」

私は歩いた。斑《まだ》らな萱《かや》を縫って、林の方へ進む間も、臭いは遠くならなかった。

「お前、今こっちから来たのか」

「そうさ、この林ん中に俺達《おれたち》の小屋、ってほどでもねえが、とにかく寝るところがあるんだ。テントを張ってある」

林の中をだらだら上りに、草を踏み固めた道が、奥へ向っていた。木の枝が、住民の小屋の附近でよく見るように、焚木《たきぎ》の長さに切られ、垂れ下っていた。不意に永松がかがんだ。拾い上げたのは、銃であった。

私は身慄《みぶる》いした。私がこの林に銃口を見たと思い、そこから永松が現われ、ここに銃がある――この連鎖は、私を覘《ねら》ったのが、永松であることを示している。ただその後で、彼が私に肉と水を与え、私が歩くのを支えているという事実が矛盾している。

しかし私は進んで永松に問い糺《ただ》す勇気はなかった。そう訊くことが、事件の進行をもとへ戻《もど》すことを懼《おそ》れたからである。

あの猿の肉を食べて以来、すべてなるようにしかならないと、私は感じていた。

「弾はあるのかい」

と私はさり気ない質問を出した。

「ああ、大事に使ってるからね。こいつがなくなると、顎《あご》が干上っちまう」

「お前達、ずっとここにいたのか」

「そうさ。安田が動けねえからね。オルモック街道まで行けば、米《べえ》さんがいるって話だが、それが行けねえんだ」

「行ったたって、通れねえぜ」

「手を挙げるのさ。こんなところにいちゃ、いずれ死んじゃうからな。安田も前からそのつもりなんだが、何しろ熱帯潰瘍《かいよう》がひどくて歩けねえのさ」

「お前がいつまでも安田の世話してるのは感心だ」

「ふふ、一人じゃ淋《さび》しいからさ。それに彼奴《あいつ》は煙草《たばこ》を持ってるしね」

「まだか」

「まったく持ちのいい野郎さ。猿が獲《と》れた時、持ってってやると、寄越しやがる。そいで自分じゃ、ちっとも吸わねえんだから、ひでえ奴《やつ》だ」

林はだんだん深く、陽光が梢にあがって、ひんやりした冷気が漂い始めた。鳥が啼《な》いていた。その声に混って「おーい」とも「ほーい」とも聞える呼声が、伝わって来た。

「ほら、安田が呼んでる。俺がいなくちゃ、どうにもならねえくせに、いつまでも威張ってやがるんだ――おーい」と呼び交しながら、我々はだんだん近づいて行った。

叢《くさむら》を分けて、低い崖《がけ》を背に、小さな空地へ出た。土を掘って造った小さな矩形の炉《くけい》に、火が燃えていた。芸もなく四方の木から引張ったテントの下に、安田がいつものように、脹《ふく》れた片足を投げ出して坐《すわ》っていた。

眼が鳥の眼のように、飛び出していた。髪も髯も、延び放題で、褪色《たいしょく》して、外国人のように、褐色に変っていた。彼は私がわからないらしかった。動かない眼でじっと見ていた。

「田村だった」

と永松がいうと、眼がまた大きくなった。そして怒ったように、無言で永松を見た。こっちは横を向き、腰を下した。

「すまねえ」

と私はいった。安田の顔は歪《ゆが》んだ。しかし言葉は意外に優しかった。

「そうか。よかったな。どうしてたんだ」

「そこに、打《ぶ》っ倒れてたら、永松が見つけてくれた」

「ふむ、よかったな。俺はもうすっかり動けなくなった。永松が持って来てくれる餌《えさ》で、やっと生きている始末さ。どうだ、戦争まだ終らねえだろうか」

永松が吹き出した。

「馬鹿《ばか》な。田村が知ってるわけがねえじゃねえか。田村だってこちとら同様、そこらをうろうろしてただけさ」

「そうか。ふむ、お前何か食糧持ってるか」

私は首を振った。安田が最初永松に投げた非難の眼付を、私は理解した。いかにも私はここで、厄介《やっかい》な余計者に違いなかった。

「何もねえ。草や山蛭《やまびる》ばかり食べて来たんだ」

過ぎた幾日かの、錯乱の記憶が甦《よみがえ》った。神はこの人間のいる林間の空地にも、垂れ下っているであろうか。

私はその巨大な体に触れようとして、手を挙げた。空《むな》しく延びた手に爽《さわ》やかな風が当った。声が降って来た。

「銃もねえんだな」

「ねえ——ああ、そうだ、手榴弾《しゅりゅうだん》があった」

「手榴弾」と二人が同時に叫んだ。

私はそれまで自分が手榴弾を持っているのを、忘れていたのである。二人の声に驚き、私は急いで腰を探った。

「おや、ない」

しかし同時に、雨が降り出してから、私がそれを雑嚢にしまったのを思い出した。そっと触ってみた。たしかにそれはどっしりと重く、雑嚢の底に横わっていた。しかし私は咄嗟《とっさ》の考えで、二人にそれをいうのを止《や》めた。彼等の声に警告されたからである。

「落したかな」

「もったいねえことしたな。池へぶち込めば、魚ぐれえ獲れたのに」

「お前達もねえのか」

「俺のはもう使った。今じゃ永松の銃だけが頼りさ。それで猿が獲れるから、つまり俺達は生きていられるわけさ」

と安田は、我々に共通の乱杭歯を出して、声もなく笑った。

三四　人類

日が暮れ、焚火の火の赤さが増した。安田と永松はそれぞれ雑嚢から、猿の干肉を出し、火の上に載せた。安田は一枚、永松は二枚出した。そのうち一枚は私の分であった。

「おい、あと何枚ある?」と安田が訊いた。

「いくらもねえ」

「何枚だってきいてるんだ」

「何枚だっていいじゃねえか。一人日に三枚より、食べねえきまりは守ってるよ。お前は煙草さえ出しゃいいんだ」

「煙草はやるが、口が一つ増えたんだ。そのつもりで、少しはせっせと獲らなくっちゃ、駄目《だめ》だってことさ」

永松は黙っていた。彼が安田に答えないのを見るのは、これが初めてであった。

「ちっ」

と安田は舌打ちして、私を見た。

銭蕗《ぜにぶき》に似た闊《ひろ》い葉が、飯盒《はんごう》で煮られた。安田も永松も噛《か》んだだけで、吐き出した。生の草に馴《な》れた私が、呑《の》み込むのを見て、

「腹をこわすぞ」と安田が注意した。

食事が終ると、永松は胸のポケットから煙草の葉を出し、丹念にちぎって、これも大事に取ってあるらしい洋罫紙《ようけいし》の切れ端で巻いて、火を点《つ》けた。一服一服押し戴《いただ》くように、差し上げて喫《の》んだ。安田は満足気に、そのさまを見やった。

「なあ、田村、煙草なんて何処《どこ》がうめえのかね。身体《からだ》にゃ毒にきまってるんだ。煙草喫む奴は馬鹿だ。ねえ、そうじゃねえか」

「どうかな」

私の喉《のど》は異様なむず痒《がゆ》さを感じた。永松はしかし予期に反して、私にも一服吸えとはいわなかった。

吸い終ると、彼は汚れた飯盒を集め、暗闇《くらやみ》に姿を消した。近くの泉へ洗いに行ったらしい。

残された安田との差し向いは何となく気まずかった。もし神が垂れ下って、見ていてくれなかったら、堪えられなかったろう。

「すまねえな」と私はいった。「もう少し歩けるようになったら、食糧探してくる」

「いいさ、いいさ。どうせ長いこたねえ」

永松は飯盒に水を汲《く》んで帰って来た。

「ほらよ」

といって、一つを安田の傍におき、一つを手に持ったまま、

「どれ、寝に行こうか」と私を促した。

「え、みんなここへ寝るんじゃねえのか」

「俺の寝床はあっちだ。お前も来ねえ」

私はだるかった。寝るのは安田の傍でもよかった。

「俺はここでもいいよ」

「まあ、一緒に来ねえ。すぐそこだよ」

「当人がいいっていうんなら、それでいいじゃねえか」

と安田がむっとしたようにいった。永松は笑った。

「悪いこたいわねえ。安田は夜になると足が痛むんでね。唸《うな》られて、煩《うる》さくって寝られねえよ。さあ」

といって、彼は私を抱き起した。安田は横を向いていた。

暗闇の中を永松にかかえられて歩いた。少し行って、安田に聞えないのが、たしかなところまで来ると、私は永松に訊いた。

「どうして、一緒に寝ねえんだ」

「まあ、今にわかるさ。こうなると、戦友だって頼りにゃならないのさ。俺がお前を連れて来たなあ、安田よりゃ頼りになるからさ」

「…………」

「お前の手榴弾、安田に取られねえように気をつけろよ。お互いに兵器は大事に持ってなくっちゃいけねえからね」

「よく俺が手榴弾持ってるの、わかったな」

「はは、そんなことぐらい、わかんなくってどうする。ほら、こうやって、お前を抱いてやってるじゃねえか」

永松は私の胴をかかえた手を延ばし、雑嚢を上から叩《たた》いた。

永松の「寝床」は安田のいる崖際《がけぎわ》から、二十間以上離れた窪地《くぼち》であった。竹を組み、上に萱を綴《つづ》ったものを、懸け渡してあった。缶詰《かんづめ》の空缶や被甲の内部その他、あらゆる兵士の持物のがらくたが、丁寧に一個所《かしょ》にまとめてあった。一振《ひとふり》の蛮刀があった。

「いい蛮刀だな」

「猿が獲れた時料理するのさ。これが砥石《といし》だ」

天然の粗い砂岩であった。

「安田にここを教えちゃいけねえぜ。あの野郎、足のこと大層にいってやがるが、全然歩けねえってわけじゃねえんだ。こっちが寝てる間に、何されるかわからねえものな、あいつと一緒に寝ねえのは——つまり、早い話、この銃でも掻払《かっぱら》われちゃいけねえからだ」

「何故《なぜ》盗《と》るんだい」

「ふふ、まあ、今にわかるよ」

私自身も、永松に気をつけなければならないのかも知れなかった。しかし何を気をつけたらいいか、わからなかった。疲労と、久振りで胃に食物が入った倦怠《けんたい》から、私はすぐ眠った。

三五　猿《さる》

明方から雨になった。永松の造った萱の屋根は、巧みな勾配《こうばい》を持ち、周囲に雨溝《あまみぞ》も掘ってあったので、雨は中に入っては来なかった。

「雨か」と舌打ちして、永松は起き上った。「さあ、行こう」

「火は大丈夫だろうか」

「心配するな。火の番は安田の商売だ」

いかにも、安田は工夫していた。燠《おき》を飯盒に入れ、火が消えない程度に隙間《すきま》をあけて、蓋《ふた》をしていた。ただ炉は使えなかったので、朝食は干肉《ほしにく》のままかじった。

「雨が降ったじゃないか」

と安田は、永松を睨《にら》んだ。

「それが、俺のせいかね」

「猿が獲れねえじゃねえか」

「雨だっているかも知れねえさ。どれ、そんなら出掛けるか。田村はここにいろ」

「俺も行く」

「まあ、いい、お前はまだ歩けねえ。もうちっと癒《なお》ったら、手伝って貰《もら》うさ」

そして「気をつけろ」と低声に囁《ささや》くと、雨の中へ出て行った。

私はまた安田と残された。話がなかった。テントを平らに張っただけの安田の寝床には、雨が降り込み、居心地がよくなかった。

「俺はまだねむい。永松んとこで寝て来るぜ」

と私がいうと、安田は不意に愛想がよくなった。

「まあ、いいじゃねえか。ここだって寝られるさ。さあ、こっちが雨が当らねえぜ。寝な、寝な——俺もお前が来てくれて心丈夫になった、永松の野郎、この頃生意気になりやがって、いちいち楯《たて》つきやがる。あんな野郎じゃなかったんだが。俺がついてなきゃ、あんな奴、今頃《いまごろ》野垂れ死してたのさ。猿を獲るんだって、俺が教えてやったんだ」

「そんなに猿がいるのかねえ、俺はまだ一匹も見たことたないが」

「やたらにいるわけじゃないが、どうやら食いつないで行くぐらい、彼奴が取って来る——ただ、こう降っちゃ、猿もねぐらに引込んでるだろう」

永松が帰って来た。

「今日はやめだ。もう雨季は終る頃だが」

「今日、幾日だろう」

「そいつは俺がちゃんとつけてる」と安田が答えた。「二月の十日だ。月末にゃ、レイテの雨季は明けるはずだ」

私は驚いた。私が三叉路《さんさろ》を越せなかったのは、たしか一月の初めであったから、あれから私はひと月、一人でさまよっていたのである。

しかし雨はなかなか止まなかった。永松は猟に出ず、肉の割当も一日一片に減った。我々はもう安田のテントへ行かず、火種を持って来て別に火を起し、永松と差向いで、一日膝《ひざ》を抱いて坐《すわ》っていた。彼の私を見る眼は険しくなった。

「お前を仲間へ入れてやったのは、よっぽどのこったぞ。よく覚えとけ」と彼はいった。肉はもうなくなっていた。

遂《つい》に或《あ》る日が晴れて、永松は出掛けて行った。私は久振りで安田のテントへ行ってみた。

「もし今日も獲れなかったら、俺もどっかへ行って見る。手榴弾で魚が獲れるって池、どこにあるんだい」

「ずっと前の話さ。どっか遠くだよ。――だってお前、手榴弾は落っことしたんだろ」

「実はあったんだ。雑嚢《ざつのう》にね」

「えっ」安田の眼が大きくなった。「ふむ。でも、この雨じゃ、濡《ぬ》れちゃったかも知れねえぜ。どれ、見せてみな」

私は何気なく取り出して、渡した。

「ほう。九九式だな。うむ、ちゃんと緊塡《きんてん》してあるな。ふむ、こりゃ使えそうだ」

そういいながら、彼の取った動作は奇妙なものであった。彼は当然のことのように、さっさと自分の雑嚢にしまうと、しっかり紐《ひも》を結んでしまった。

「おい。返してくれ」

「返してもいいが。誰《だれ》が持ってても同じだろう。俺が預っといてやるよ。俺はここにじっと坐りっ切りの、物持ちのいい人間だ。お前が持ってて、また濡らしちゃうといけねえ」

私は不安になった。

「とにかく返してくれ。大丈夫、濡らしゃしねえ。永松におこられる」

「永松が何かいったのか」

「お前に渡しちゃいけねえって」

「あはは、それに何故渡した」

「うっかりしたんだ」

「それがいけねえ。もう駄目だ。後の祭りだよ」

「返せ」

私が安田の雑嚢へ手を延ばすと彼は剣を抜いた。私は飛びのいた。私もまた剣は持っていたが、この密林の友人と、何故剣を抜いてまで、一個の手榴弾を争う必要があるのか、わからなかった。

「よせ。やるよ。そんなに欲しけりゃ、やるから、そんなもの、早くしまっちまえ」

「そうか。流石《さすが》インテリは物わかりがいい。よこせば、別に文句はねえ」

私は出掛けた方がいいかも知れない。それとも……私は自分の手を眺《なが》めた。声が聞えた。

「ここに働かざりしわが手あり」

その時遠く、パーンと音がした。

「やった」と安田が叫んだ。

私は銃声のした方へ駈けて行った。林が疎《まば》らに、河原が見渡せるところへ出た。一個の人影がその日向《ひなた》を駈けていた。髪を乱した、裸足《はだし》の人間であった。緑色の軍服を着た日本兵であった。それは永松ではなかった。

銃声がまた響いた。弾は外れたらしく、人影はなおも駈け続けた。

振返りながらどんどん駈けて、やがて弾が届かない自信を得たか、歩行に返った。そして十分延ばした背中をゆっくり運んで、一つの林に入ってしまった。

これが「猿」であった。私はそれを予期していた。

かつて私が切断された足首を見た河原へ、私は歩み出した。萱の間で臭気が高くなった。そして私は一つの場所に多くの足首を見た。

足首ばかりではなかった。その他人間の肢体《したい》の中で、食用の見地から不用な、あらゆる部分が、切って棄てられてあった。陽《ひ》にあぶられ、雨に浸されて、思う存分に変形した、それら物体の累積《るいせき》を、叙述する筆を私は持たない。

しかし私がそれを見て、何か衝撃を受けたと書けば、誇張になる。人間はどんな異常の状況でも、受け容《い》れることが出来るものである。この際彼とその状況の間には、一種のよそよそしさが挿《はさ》まって、情念が無益に搔《か》き立てられるのを防ぐ。

私の運の導くところに、これがあったことを、私は少しも驚かなかった。これと一緒に生きて行くことを、私は少しも怖《おそ》れなかった。神がいた。

ただ私の体が変らなければならなかった。

三六　転身の頌《しょう》

「やい、帰って来い」

と声がした。振り返ると、林の縁に永松がいて、銃で覘《ねら》っていた。私は微笑《ほほえ》んだ。構える私は演技する自由を持っていた。今は私の所有しない手榴弾《しゅりゅうだん》を握る振りをし、私は微笑《ほほえ》んだ。構える振りをした。

「よせ。よせ。わかった」

永松は笑って、銃口を下げた。我々は近寄った。彼の頰《ほお》の筋肉が引き攣《つ》っていた。

「見たか」

「見た」

「お前も食ったんだぞ」

「知っていた」

「猿を逃がした」

「残念だった」

「こんどまた、いつ見附《みつ》かるかわかんねえんだ。猿はなかなか通らねえ」

彼は私の空の手を見た。

「おや、手榴弾はどうした」

「ない」

「ない？」

「あるって思ったのは、お前の勝手だ」

「どうしたんだ」

「安田に取られた」

「取られた？」永松は真赤になった。「馬鹿野郎《ばかやろう》、何故取られたんだ。あんなにいっといたのに」

「うっかりしたんだ」

「そりゃ大変だ。もうしようがねえ。彼奴《あいつ》をやっつけるよりしようがねえ。やらなきゃ、こっちがやられちゃう」

「俺《おれ》をやったらどうだ」

「お前やるんなら、最初にやってる。俺はもうこんなことやってるのが、いやになったんだ。あのじじいに操られて、うっかり始めたが、もう沢山だ――お前、そのオルモックへ行く道、知ってるんだな」

「憶《おぼ》えてない」

「どうでもいい。とにかく一緒に行こう。安田をやって、食糧を作ってから、米《べえ》さんとこへ行こうじゃねえか」

「そうやすやす降服さしてくんねえぜ」

「いや、とにかく、俺は今まであの野郎に威張られたのが癪《しゃく》にさわって、しようがねえんだ。このままじゃ済まされねえ」

「このまま、どっかへ行っちまえばいい」

「駄目《だめ》だ。さし当って食糧がねえ」

「しかし俺は降服しねえぜ。お前一人で行ってくれ。俺はその気はねえんだ」

「つまんねえこというな。俺だって猿の肉食った体だが、何、黙ってりゃ、わかるもんか」

　手榴弾を持った安田を殺すために永松が考えた方法は、彼の若さに似合わぬ、狡猾《こうかつ》なものであった。彼の予想では、武器を握った以上、安田は必ず我々を殺しに来るのであった。そしてそのためあのテントを立ち退《の》いて、どこかで我々を待伏せているのであった。

「大袈裟《おおげさ》にいやがって、彼奴の足、結構役に立つんだ。ただ俺をこき使おうと思って、そら使ってやがるんだ」

我々は慎重に林に入って行った。

「いいか、まず彼奴に手榴弾を使わしちまわないとまずい。声を出せば、きっと抛《ほう》って来やがるから、怒鳴って、途端に逃げるんだぞ。いいか」彼は林の奥へ叫んだ。

「おーい、安田。獲《と》って来たぞ」

そして踵《きびす》を返して急に駈け下りた。後で炸裂音《さくれつおん》が起った。破片が遅れた私の肩から、一片の肉をもぎ取った。私は地に落ちたその肉の泥《どろ》を払い、すぐ口に入れた。

私の肉を私が食べるのは、明らかに私の自由であった。

それから我々は安田の捜索にかかった。しかし半日念入りに探しても、安田の姿はどこにもなかった。

「畜生、何処《どこ》へ行きやがったかな」永松の飢えには憎悪が混っていた。「そうだ、あそこがいい」

彼は私を泉に導いた。

「この辺じゃ、水はここっきゃねえ。あの野郎、そのうちにゃ、きっと来やがるから、ここで待っっててやろう」

林の果て、崖《がけ》の根元から一つの水が湧《わ》いて、細流《せせらぎ》となって流れ去っている。永松は石で流れを堰《せ》いた。

泉を見下す高みに我々は隠れた。三日目の夕方、遠く安田の泣くような声を聞いた。「永松、田村」と声は呼んでいた。「おーい。出て来い。俺が悪かった。仲好《なかよ》くやってこうじゃねえか。火もあるぞ」

「火ぐれえ、こっちにだってあらあ」と永松は自分の飯盒《はんごう》に貯えた、小さな燠を吹きながらいった。

「出て来い。煙草もみんなやるぞ」

「いやだ。もうお情けは沢山だ。手前をやっつけて、捲《ま》き上げてやる」

「出て来い。俺がここに煙草持ってると思うと、大間違いだぞ。いいとこへ、ちゃんとしまってあるんだ。仲好くしよう」

「畜生。なんて悪賢い野郎だ」永松は歯ぎしりした。

遂に声は止《や》んだ。ただ草を匍《は》う音が近づき、泉の向うの崖の上に、頭が現われた。暫《しば》くそうしてじっとしていたが、不意に、全身を現わし、滑り降りた。

永松の銃は土にもたせて、そこへ照準をつけてあった。銃声と共に、安田の体はひくっと動いて、そのままになった。

永松が飛び出した。素速く蛮刀で、手首と足首を打ち落した。

怖《おそ》しいのは、すべてこれ等《ら》の細目を、私が予期していたことであった。

まだあたたかい桜色の肉を前に、私はただ吐いていた。空の胃から黄色い液だけが出た。

もしこの時既に、神が私の体を変えていたのであれば、神に栄えあれ。

私は怒りを感じた。もし人間がその飢えの果てに、互いに食い合うのが必然であるならば、この世は神の怒りの跡にすぎない。

そしてもし、この時、私が吐き怒ることが出来るとすれば、私はもう人間ではない。天使である。私は神の怒りを代行しなければならぬ。

私は立ち上り、自然を超えた力に導かれて、林の中を駈けて行った。泉を見下す高みまで、永松が安田を撃った銃を、取りに行った。

永松の声が迫って来た。

「待て、田村。よせ、わかった、わかった」

新しい自然の活力を得た彼の足は、私の足より早いようであった。私は辛《かろ》うじて、一歩の差で、彼が不注意にそこへおき忘れた銃へ行き着いた。

永松は赤い口を開けて笑いながら、私の差し向けた銃口を握った。しかし遅かった。

この時私が彼を撃ったかどうか、記憶が欠けている。しかし肉はたしかに食べなかった。食べたなら、憶えているはずである。

次の私の記憶はその林の遠見の映像である。日本の杉林《すぎばやし》のように黒く、非情な自然であった。私はその自然を憎んだ。

その林を閉ざして、硝子絵《ガラスえ》に水が伝うように、静かに雨が降り出した。

私は私の手にある銃を眺めた。やはり学校から引き上げた三八銃で、菊花の紋がばってんで刻んで、消してあった。私は手拭《てぬぐい》を出し、雨滴がぽつぽつについた遊底蓋《ゆうていがい》を拭《ぬぐ》った。

ここで私の記憶は途切れる……

三七　狂人日記

私がこれを書いているのは、東京郊外の精神病院の一室である。窓外の中庭の芝生には、軽患者が一団一団とかたまって、弱い秋の陽を浴びている。病舎をめぐって、高い赤松が幹と梢《こずえ》を光らせ、これら隔離された者共を見下している。

あれから六年経《た》った。銃の遊底蓋を拭ったままで、私の記憶は切れ、次はオルモックの米軍の野戦病院から始まっている。私は後頭部に打撲傷を持っていた。頭蓋《ずがい》骨折の整復手術の痛さから、私は我に返り、次第に識別と記憶を取り戻《もど》して行ったのである。

私はどうして傷を受け、どういう経路で病院に運ばれたかを知らなかった。米軍の衛生兵の教えるところによれば、私は山中でゲリラに捕えられたので、傷は多分その時受けたのだろうという。軍医は私の記憶喪失が、脳震盪《のうしんとう》による逆行性健忘の、平凡な場合だと説明した。

頭髪が脱落していたほか、体に外見的異状はなかったが、心臓に機能的障害があり、タクロバンの俘虜《ふりょ》専用の病院へ移された後も、私は二カ月以上便所へ通うことが出来なかった。私が隊から追われる原因であった肺浸潤も進行していた。私は結核患者のみ集めた病棟《びょうとう》に隔離され、一般俘虜収容所へ移ることなく、昭和二十一年三月病院船で復員したのである。

俘虜病院に収容された当初、私は与えられる食膳《しょくぜん》に対し、一種の儀式を行うことで、同室者の注意を惹《ひ》いたそうである。人々は私を狂人と見做《みな》した。しかし私は、今でもそうだが、自分のせずにいられぬことをするのを、恥じないことにしている。何か私以外の力に動かされるのだから、止《や》むを得ないのである。

私はいかに自分の肉体を養う要請に出《い》ずるとはいえ、すべて有機質から成り立っている食物を食べることを、その有機質の以前の所有者であった生物達に、まず詫《わ》びるのである。私としては、むしろ少しも自責なくこれを行っている、人間共が不思議でならない。人間同士の愛と寛大、つまりヒューマニズムについて、あれほど大言放語している彼等がである。

或《あ》る日私が突然その儀式をやめたのは、してもしなくても同じことだと、思ったからである。私は私の心を人に隠すのに、興味を覚えるようになった。

部隊を離れてからの経験について、私は誰にも語らなかった。比島の女を殺したことは、戦争犯罪者に加えられる惧《おそ》れがあり、たとえ人肉常食者にせよ、僚友を殺したことを、俘虜の仲間がどう思うかわからなかったからである。

私は求めて生を得たのではなかったが、一旦《いったん》平穏な病院生活に入ってしまえば、強《し》いてその中断を求める根拠はなかった。人は要するに死ぬ理由がないから、生きているにすぎないだろう。そして生きる以上、人間共の無稽《むけい》なルールに従わなければならないことも、私は前から知っていた。祖国には妻がいた。

妻は無論喜んで私を迎えた。彼女のうれしそうな顔を見ると、私自身もうれしいような気がした。しかし何かが私と彼女との間に挿まったようであった。それは多分比島の山中の奇怪な経験と、一応いっていいであろう。人は殺したとはいえ、肉は食わなかったのだから、何でもないはずであり、私の一方的な記憶が、妻との生活の間に「挿まる」なぞ、比喩《ひゆ》としてまずい比喩であるが、どうもほかに考えようもない。

私としては始終独りになりたい、という止み難《がた》い欲望が続いていたにすぎない。空襲中東京の家で彼女が火に囲まれて危く助かった話を聞き、「そりゃよかったね」と答えながら、ふとその時彼女が死んでしまえばよかったと思い、私は自分の心に驚いた。しかし私にはすべて自分が思い、感じたことを抑えたり、否定したりする気はない。

だから五年後、私が再び食膳を前に叩頭《こうとう》する儀式を恢復《かいふく》し、さらにあらゆる食物を拒否するようになった時も、私としては別におかしいとも、止めねばならぬとも思う根拠はないわけである。再び私の左手が右手を握るようになったのも、神であろうか、何か私とは別なものに、動かされているのであるから、止むを得ない。私は外から動かされるのでもなければ、繰り返しはいやである。

五月の或る日この精神病院へ連れて来られて、比島の丘の緑に似た、柔かい楢《なら》や椚《くぬぎ》の緑が、建物を埋めているのを見た時、ああ、この世で自分が来るべきところはここであった、早くここに気がつけばよかったと思った。遂《つい》に私が入院ときまり、私が重い扉《とびら》の内側に、妻はその外側に立った時、妻が私に注いだ涙を含んだ眼《め》に、私が彼女の心に殺したものの重さを感じたが、しかし心を殺すぐらい何であろう。私は幾つかの体を殺して来た者である。

しかも妻の心が彼女の全部ではないのも私は知っている。人間がすべて分裂した存在であることを、狂人の私は身をもって知っている。分裂したものの間に、親子であろうと夫婦であろうと、愛なぞあるはずがないではないか。

要するに私の欲するままにさせておいて貰《もら》いたいのである。私の欲することを止めさせるには、あの比島の山中の将校のように、私の欲する前に、私に薦めねばならない。私の欲望は到《いた》って少ないのであるから、一度欲してしまってからでは間に合わない。そして誰《だれ》も私に私の欲しないことをさせることは出来ないのである。

私が復員後取り繕《つく》ろわねばならぬ生活が、どうしてこう私の欲しないことばかりさせたがるのか、不思議でならない。

この田舎にも朝夕配られて来る新聞紙の報道は、私の最も欲しないこと、つまり戦争をさせようとしているらしい。現代の戦争を操る少数の紳士諸君は、それが利益なのだから別として、再び彼等に欺《だま》されたいらしい人達を私は理解出来ない。恐らく彼等は私が比島の山中で遇《あ》ったような目に遇うほかはあるまい。その時彼等は思い知るであろう。戦争を知らない人間は、半分は子供である。

しかし慌《あわ》てるのは止《よ》そう。新聞紙上に現われるのはすべて徴候にすぎない。徴候は一つなら印象も一過的で、やがては忘れられるはずである。徴候が我々の中に沈澱《ちんでん》させるものは、それが継続して、或いは周期的に現われるためにほかならない。丁度私が戦場で野火を怖れたのが、私がそれを見た順序、その数にかかっていたように。

これ等の徴候が一群の心理学者の制作に係るならば、私はそれらの専門家を憎む。しかし革命家達はこの組織を壊滅さすのに、実に愚劣な方策しか案出出来ないのであって、しかも互いに一致せず、つまらぬ方針の争いを繰り返している。

誰も私にもう一度戦場で死ぬのを強制することは出来ないと同様、方針の部分品として、街頭に倒れることを強制することも出来ない。誰も私にいやなことをさせることは出来ないのである。

私はこれがみんな無意味なたわ言にすぎないのを知っている。不本意ながらこの世へ帰って来て以来、私の生活はすべて任意のものとなった。戦争へ行くまで、私の生活は個人的必要によって、少なくとも私にとっては必然であった。それが一度戦場で権力の恣意《しい》に曝《さら》されて以来、すべてが偶然となった。生還も偶然であった。その結果たる現在の私の生活もみな偶然である。今私の目の前にある木製の椅子《いす》を、私は全然見ることが出来なかったかも知れないのである。

しかし人間は偶然を容認することは出来ないらしい。偶然の系列、つまり永遠に堪えるほど我々の精神は強くない。出生の偶然と死の偶然の間にはさまれた我々の生活の間に、我々は意志と自称するものによって生起した少数の事件を数え、その結果我々の裡《うち》に生じた一貫したものを、性格とかわが生涯《しょうがい》とか呼んで自ら慰めている。ほかに考えようがないからだ。

しかし多分これもたわ言であろう。事実は私が今この精神病院で、天体の運行を見守りながら、一日一日睡眠によって中断された生活を送っているというにすぎない。医師によって課せられた整頓《せいとん》掃除の日課も、それを果す間は偶然を忘れていられるという意味で悪くない。看護人が多く旧日本軍の衛生兵であるのは甚《はなは》だ皮肉であるが、彼等が時々患者を殴る様子に、彼等の前身を偲《しの》ぶのも私には快い。前線の私の生活と、現在の生活との間に、一種の繫《つな》がりを感じさせるからである。

もし私の現在の偶然を必然と変える術《すべ》ありとすれば、それはあの権力のために偶然を強制された生活と、現在の生活とを繫げることであろう。だから私はこの手記を書いているのである。

三八　再び野火に

もっともこの手記は元来、医師の薦めによって始められたものである。彼は自由連想診察の延長として、私自身をして過去を書かしめるのを、適当と認めたらしい。そこで私は彼等の所謂《いわゆる》職業上の秘密保持の義務に乗じ、私がこれまで誰にも明さなかった経験を語ることにした。彼等はどうせアミタール・インタヴュによって、私の秘密の一部を知っているであろうから、いっそ詳細を語った方が都合がよい。いずれにせよ、どうせ彼等は私のいうことを理解しないであろうが。

医師は私より五歳年少の馬鹿《ばか》である。食虫類のような長い鼻に、始終水洟《みずばな》をすすり上げている。彼は私が復員後精神分裂病と逆行性健忘症の研究を積み、むしろ進んでここに避難して来たことを知らない。彼の精神病医学の知識は、私の神学の知識ぐらいなものだ。

ただ連続睡眠とか電撃とか、蓋然《がいぜん》的療法によって、私の拒食の習慣が除かれたことだけは、それだけ私の毎日の生活から面倒が減ったから感謝している。

私の家を売った金は、私に当分この静かな個室に身を埋める余裕を与えてくれるようである。私は妻は勿論《もちろん》、附添婦《つきそいふ》の同室も断った。妻に離婚を選択する自由を与えたが、驚くべきことに、彼女はそれを承諾した。しかもわが精神病医と私の病気に対する共通の関心から感傷的結合を生じ、私を見舞うのを止めた今も、あの赤松の林で媾《あい》曳《びき》しているのを、私はここにいてもよく知っているのである。

どうでもよろしい。男がみな人食い人種であるように、女はみな淫売《いんばい》である。各自そのなすべきことをなせばよいのである。

医師は私の手記を、記憶の途切れたところまでを読み、媚《こ》びるように笑いながらいった。

「大変よく書けています。まるで小説みたいですね」

「僕はありのままを書いたつもりです」

「ははは、そうです。そこです。あなたがありのままと信じているところに、真実を修正する作用が働いているのが特徴でして、これは小説家にも共通した心理なのです」

「想起に整理と合理化が伴うのは止むを得ません」

「なかなかよく意識しておられる。しかしあなたは作っておられますよ」

「回想に想像と似たところがあるのは、通俗解説書にも書いてるじゃありませんか。

現在の僕《ぼく》の観念と感情で構成するほか、何が出来ますか?」

「私共に一番興味があるのは、あなたの神の映像ですね。普通私共はこれを罪悪感を補償するために現われるコンプレックス——メシヤ・コンプレックスと呼んでいるんですが、あなたは今でも自分が天使だと信じていられますか」

「いや、どうだかわかりません。そうですね。多分これを書きながら見附《みつ》けて行ったのでしょう。ふむ、メシヤ・コンプレックスとしては、僕の神の観念は甚だ不完全なものですね」

「まあ、それだけあなたの症状が軽いということですから、御心配はありません。いや、人が発狂時に書くことには、案外深い人生の真実が潜んでいることがある。——ただ衝撃のため、最後の部分を忘れておられるのが残念ですね。私共にいわせれば、或《あ》るいはそこにあなたの病気の、真の原因が潜んでいるかも知れないのです」

「僕は病気じゃないかも知れませんよ」

「あはは、患者はみなそういいます。そして大抵私達医師に反感を持っています。いかがです」

「………」

「まあ、そこらに失礼ながら、あなたの病気があるかも知れない。あなたの症状は離人症というんですが、副次的特徴の一つとして、他人を信用しないことです。つまり自分が信用出来ないからなんで」

「じゃ、あなたを信用しろとおっしゃるんですか」

「そう睨《にら》まないで……いや、今日はここまでにしておきましょう。まあその忘れた期間のことでも考えていらっしゃい。しかしどうしても思い出せなかったら、無理しなくてもいいですよ」

いかにもあの忘却の期間は、私の中に暗黒の輝線のように残っている。すべて私の想起はここまで来ると、いわば全反射して、決してあの時手に持った銃の、雨滴のぽつぽつ附いた遊底蓋《ゆうていがい》から奥へ入ることは出来ない。或いはそれから米軍の病院の手術台で、再び記憶が始まるまでの十日の間に、現在の私の生活と、あの山中の記憶を結ぶ鍵《かぎ》が潜んでいるかも知れない。

映像の記憶を欠く私は、推理によって、その未知の領域に入ろうと思う。推理もまた想起作用の有力な一環である。

医師が私の精神の状態を自分に納得するような、誇らかな眼で私を見据《みす》え、諾《うなず》いて去った後、私は一人庭へ出ていった。ベンチへ腰を下し、傾いた十月の陽《ひ》が赤松の影を長く延ばし、影が芝の黄ばんだ緑と重って、紫の斑点《はんてん》を浮き上らせてくるのを見凝《みつ》めながら、私は医師との会話によって、新しく刺戟《しげき》された推理の糸を手繰った。

私が比島人に捕えられた地点は、俘虜票にオルモック附近とあるのみで、正確な証言を欠いているが、私の記憶に残る最後の地点は、たしか海岸からはかなり隔った山中で、ゲリラの来そうなところではなかった。してみれば、私が行ったのでなければならぬ。しかし私は何をしに行ったのであろうか。

比島の女を殺した後、私がその罪の原因と考えた兇器《きょうき》を棄てて以来、私が進んで銃を把《と》ったのは、その時が始めてであった。そして人食い人種永松を殺した後、なお私が銃を棄てていなかったところを見ると、私はその忘却の期間、それを持ち続けていたと見做すことが出来る。私は依然として神の怒りを代行しようと思っていたのであろうか。

いや、神は何者でもない。神は我々が信じてやらなければ存在し得ないほど弱い存在である。私がそう錯覚していたかどうかの問題だ。

比島人の観念は私にとって野火の観念と結びついている。秋の穀物の殻《から》を焼く火か、牧草の再生を促すために草を焼く火か、或いは私達日本兵の存在を、遠方の味方に知らせる狼煙《のろし》か、部隊を離脱してからの孤独なる私にとって、野火はその煙の下にいる比島人と因果関係にある。

では私は再び野火を見ていたかも知れぬ。

耳の底、或いは心の底に、私は太鼓の連打音に似た低音を聞くように思った。その長く続く音は、目の前の地上にますます延びて行く赤松の影と重なる。かつて比島で私の歩く先々について廻《まわ》った、野火の印象に重なる。

この病院を囲む武蔵野《むさしの》の低い地平に、見えない野火が数限りなく、立ち上っているのを感じる。

私はあの忘却の灰色の期間が、処々《ところどころ》、粒を立てたように、野火の映像で占められているのを感じる。それに伴う何の感情も思考もないが、映像だけは真実である。

私は室《へや》に帰った。夜、食事をする間も、ベッドに入ってからも、太鼓の連打音は続いていた。そして遂《つい》に私はその記憶喪失の全期間を思い出すことが出来た。いや全部ではないが、多分書きながら思い出して行くであろう。

三九　死者の書

或いはこれもすべて私の幻想かも知れないが、私はすべて自分の感じたことを疑うことが出来ない。追想も一つの体験であって、私が生きていないと誰がいえる。私は誰も信じないが、私自身だけは信じているのである。

一つの幅の広い野火の映像は、その下部に焔《ほのお》の舌を見せて、盛んに立ち騰《のぼ》っていた。別の細い野火は上が折釘《おれくぎ》のように曲って、回転する磁石の針のように揺れていた。それは殆《ほと》んど、意のままに変形し得るように思われた。

しかし奇妙なのは、その野火の映像に燃焼物の映像が伴っていることである。焔を含んだ煙の下か、折釘のような煙の下かはわからない。うず高く、蟻塚《ありづか》のように盛り上った籾殻《もみがら》であった。火は見えず、煙だけ湯気のように、立ち去り難く、その累積《るいせき》の頂上に纏《まつわ》りついていた。そして風に吹き散らされるのを惜しむかのように、相寄り束になって、中空目指して、目的あり気に立っていた。または草原が燃えた後であった。黒く崩れ伏した草の上、直立した焼け残りの草の根方を、低く煙が、水底に動く影のように、匍《は》っていた。

野火の形は最初中隊を出た時見たものに似ていたが、その時はたしかにその下まで行きはしなかったから、燃焼物は私があの忘却の間に見たものに違いない。

私はさらに、その燃える籾殻や草が、それぞれ一つの煙に密着していると感じる。意識の空間に密着したそれ等《ら》の双《つが》いは、それぞれ時間の密着を示すべきである。

このことは私が一つの煙を見、次にその煙の下に行ったことを示している。煙を見れば、必ずそこへ行ったのだ。

しかし何のために？——思い出せない。私の記憶はまた白紙である。ただこの「行った」という仮定から、一つの姿が浮び上る。

再び銃を肩に、丘と野の間を歩く私の姿である。緑の軍衣は色褪《いろあ》せて薄茶色に変り、袖《そで》と肩は破れている。裸足《はだし》だ。数歩先を歩いて行く痩《や》せた頸《くび》の凹《へこ》みは、たしかに私、田村一等兵である。

それでは今その私を見ている私は何だろう……やはり私である。一体私が二人いてはいけないなんて誰がきめた。

自然に音はなく、水底のように静かである。あれら丘も木も石も草も、すべてあの高い空間を沈んで来て、ここに、自然の底に落着いたらしい。神が空の高いところでそれを造り、ここまで沈めた。その巨大な体を縦に貫いて、ここまで降りるのを許したのである。

神が沈むために与えた時間を使い尽し、もうこれ以上沈むことが出来ない、不動の姿である。

私、不遜《ふそん》なる人間は暗い欲情に駆られ、この永遠を横切って歩いて行く。銃を肩に、まるで飢えてなぞいないかのように、取りつくろった足取である。何処《どこ》へ行く。

野火へ向い、あの比島人がいるところへ行きつつある。すべてこの神に向い縦に並んだ地球の上を、横に匍って、神を苦しめている人間共を、懲《こら》しめに行くのだ。

しかしもし私が天使なら、何故《なぜ》私はこう悲しいのであろう。もはや地上の何者にも縛られないはずの私の中が、何故こう不安と恐怖に充《み》たされているのであろう。何か間違いがなければよいが。

一つの丘から野火が上っていた。海草のように揺れながら、どこまでもどこまでも、無限に高く延びていた。

太陽は何処にいる。神のように、あの空の上、空間を充たした水のまた上にいるはずだ。

丘の頂上の草は、水の流れに押されて、靡《なび》いていた。そして火は頂上を取り巻く低く黒い林に向って、追われるように、逃げて行った。

いた。人間がいた。射《う》った。当らない。彼は勾配《こうばい》を走り下り、最早《もはや》私の弾の届かないところまで行くと、自信ありげに背をのばして、すたすたと一つの林に入ってしまった。

またいる。靡く草の上から上体が出た。一人、二人、三人。

彼等は近づいてくる。交互に、機械的に、立ったり伏せたりしながら、目鼻のない暗い顔が、靡く草の上を近づいて来る。いや、私はもうやり損ったりなぞはしない。火が来た。理由のない火が、私を取り巻く草を焼いて、早く進んで来る。首を挙げ、口を開いて迫って来る。煙の後に、相変らず人間共が笑っている。

太陽は何処にいる。

何でもない。何でもない。

私が静かに銃をさし上げるのが見える。菊の紋章が十字で消された銃を下から支えるのは、美しい私の左手である。私の肉身の中で、私が一番自負している部分である。この時、私は後頭部に打撃を感じた。痺《しび》れた感覚が、身体《からだ》の末端まで染《し》み通った。そうだった。忘れていた。私は彼等に後頭部を殴られるはずであった。それはきまっていた。この精神病院へ入った日以来、私の望んでいたのは死であった。到頭それが来た。

しかし何故私はまだいるのであろう。人間共はもう見えないが、声はがやがや聞えている。私には彼等が見えないが、彼等には私が見え、どうとも勝手に扱うことが出来る。手術台にのせて、整復でも何でもすることが出来るのだ。

人は死ねば意識がなくなると思っている。それは間違いだ。死んでもすべては無にはならない。それを彼等にいわねばならぬ。叫ぶ。

「生きてるぞ」

しかし声は私の耳にすら届かない。声はなくとも、死者は生きている。個人の死というものはない。死は普遍的な事件である。死んだ後も、我々はいつも目覚めていねばならぬ。日々に決断しなければならぬ。これを全人類に知らさねばならぬ、しかしもう遅い。

原に人間はなかったが、草は私が生きていた時見たと同じ永遠の姿で、私の周囲に靡いていた。暗い空に一際黒く、黒耀石《こくようせき》のように、黒い太陽が輝いていた。しかしもう遅い。

草の中を人が近づいた。足で草を掃き、滑るように進んで来た。今や、私と同じ世界の住人となった、私が殺した人間、あの比島の女と、安田と、永松であった。

死者達は笑っていた。もしこれが天上の笑いというものであれば、それは怖《おそろ》しい笑いである。

この時、痛い歓喜が頭の天辺《てっぺん》から入って来た。五寸釘のように、だんだん私の頭蓋《ずがい》を貫いて、脳底に達した。

思い出した。彼等が笑っているのは、私が彼等を食べなかったからである。殺しはしたけれど、食べなかった。殺したのは、戦争とか神とか偶然とか、私以外の力の結果であるが、たしかに私の意志では食べなかった。だから私はこうして彼等と共に、この死者の国で、黒い太陽を見ることが出来るのである。

しかし銃を持った堕天使であった前の世の私は、人間共を懲すつもりで、実は彼等を食べたかったのかも知れなかった。野火を見れば、必ずそこに人間を探しに行った私の秘密の願望は、そこにあったかも知れなかった。

もし私が私の傲慢《ごうまん》によって、罪に堕《お》ちようとした丁度その時、あの不明の襲撃者によって、私の後頭部が打たれたのであるならば――

もし神が私を愛したため、予《あらかじ》めその打撃を用意し給《たも》うたならば――

もし打ったのが、あの夕陽の見える丘で、飢えた私に自分の肉を薦めた巨人であるならば――

もし、彼がキリストの変身であるならば――

もし彼が真に、私一人のために、この比島の山野まで遣わされたのであるならば――

神に栄えあれ。

解説

吉田健一

大岡昇平氏の作品を読めば読む程、日本の現代文学に始めて小説と呼ぶに足るものが現れたという感じがする。現代文学というものは日本に前からあった。併《しか》しその中で小説は大岡氏の作品が始めてだとするのは奇怪なことに思われるだろうか。確かに日本の現代文学の大部分をなしているのは小説であって、今日でも文士と言えば、小説家の異名のようになっている。作家という言葉が、文学者の意味に普通に使われている。日本の現代文学から小説を取り去れば、何が残るかということも真面目《まじめ》に考えられる。

併し同時に又、何もないから小説でないものまで無理に小説にして日本の現代文学に加えたと見てはならないだろうか。或《あ》る日本の現代作家の作品がアメリカに紹介されたら、名エッセイだという評判を取ったそうである。外国の読者が飜訳《ほんやく》を通して得た印象は必ずしも当てにならないし、エッセイというのが何を指すかも余りはっきりしないが、例えば島崎藤村が書いたようなものが小説で通るならば、余り理屈っぽいことを言いさえしなければ大概何でも小説であっていい訳で、理屈っぽい所が出て来れば、これは理知小説だとか、心理小説だとかということで珍重される。小説にはそういう便利な所がある。

朝起きて、夜寝るまでのことを丹念に書いても、小説と言えないことはない。大岡氏が戦後に始めて書いた「俘虜記《ふりょき》」も、そういう一種の、舞台が外国になっている私小説位に思われているかも知れないのである。併し「俘虜記」は私小説でも、何小説でもない小説であり、この作品で既に大岡氏が他の作家達《たち》、殊《こと》にそれまでの作家というものとは違っていることがはっきり感じられる。私小説に馴《な》れた読者でも、「俘虜記」が一人称で書いてあるということで、これを大岡氏の戦争中の体験記として受け取ることは出来ない筈《はず》なのである。

フィリッピンの自然を見る眼《め》が、それを見ている主人公に移される時に別な眼になっていては、或《あるい》は、盲になっては、その結果書かれたものを小説とは言えないし、定義などどうでもいいが、その度毎《たびごと》に小説というものが読者に与えている感興は消え失《う》せる。私小説、或は随筆でそれを補うものは、その作品を書いているのがお馴染《なじ》みの何某氏だという一種の人気に過ぎないので、それならば初めからそういう作品は随筆とか、手記という名称で片付けた方が頭の混乱が省けるというものである。

大岡氏は「俘虜記」で、フィリッピンの自然に対するのと同じ眼で主人公を見ている。これはフィリッピンの自然に対して大岡氏が抒情的《じょじょうてき》になることを妨げないし、又、主人公を見ている大岡氏の眼が残酷だとか、客観的だとかということでもない。ただ大岡氏は、言葉で書かれたものは言葉が伝えることをしか伝えないことを知っている。ここにあるものはフィリッピンの自然でもないし、一人の、或は何人かの日本軍の敗残兵でもないので、あるのはただ大岡氏が書いた言葉と、それが描いている一つの世界だけなのである。

それを実際にどこかにあった世界、或は少くも、我々が氏の作品を読んでいる間、我々の眼前にある世界と我々が感じる所にこの作品が成立している。我々が直接に受ける印象の問題なのであるから、そこには嘘《うそ》や、作者の人気によるごまかしが入って来る余地はない。嘘と言えば、初めから一切が嘘なのであり、その嘘を支えているものは言葉の他《ほか》に何もないのである。

これがフィクションであり、小説というものの定義であって、小説にフィクションが必要であるかどうかなどという論議は正気の沙汰《さた》ではない。大岡氏は曾《かつ》て、それも今から十何年も前のことであるが、人生に起る出来事は偶然の寄せ集めであって、或る事件が次にどんな事件を生じるか知れたものではないが、文学では或る作品で一度何か起れば、もうその作品はそれが起ったことの結果から逃れることが出来ないと書いたことがある。

一つの事件が次の事件を呼んで、それを免《まぬか》れないものと感じることが読者に書いてあることの真実に就《つい》て納得させるというのが、小説というものの本道なのであって、大岡氏はそれを、「俘虜記」で試みて成功し、次に「武蔵野《むさしの》夫人」でそれが戦場という異常な環境を離れて我々の日常生活に応用されても、我々に同じ一つの充実した小説の世界を与えるに足るものであることを示した。「野火」は大岡氏がその次に作家として試みた冒険である。

「野火」の舞台が再びフィリッピンの戦場に戻《もど》っているのは、そうして得られるどぎつい材料で我々の好奇心を惹《ひ》く為《ため》ではない。屍体《したい》や戦場というものが我々の日常の感受性にとっては異常であっても、それが現実となった時は、と言うのは、何よりもそれが小説の現実を作り出す作家の材料になった時は、最も平凡な事実の親しさを帯びることは、大岡氏が既に「俘虜記」で我々に明かにしてくれた所である。どんなに奇異な事実だろうと、我々が小説の世界を信じるという異常には及ばないのである。

我々が小説を読む時は、我々が生活して行く為の感覚は一応お預けにして、作者の頭の動きに我々の頭の動きを任せる。作者は自分が描く世界の輪郭を追う眼が正確であることを期しさえすればいいのであって、我々はその世界が我々の日常生活とどういう関係にあるかを問題にしようとは思わない。小説で描かれている現実が、——もしそれが事実そこに描かれているならば、——我々の日常の世界よりも純粋な形を取るのはその為である。

それは、小説が精神の実験を行う場所になることを意味している。そして「野火」では、大岡氏のそれまでのどの作品にも増してそういう、それこそ小説の本領である実験が行われている。主人公は先《ま》ず病気になることによって自分が属していた部隊から離れる。それから先は、味方が軍隊の形をなさなくなるまでに敵に叩《たた》きのめされた戦況が、彼が益々《ますます》ただ一人で行動する他なくなって行くことを保証する。

これは、ただ一人になった人間が独占するのとは違う。リルケの「マルテの手記」はそういう独占として出色のものかも知れないが、そこに出て来る心理的な現実の描写が繊細を極めたものであっても、まだ我々はこれを小説と呼ぶことを躊躇《ちゅうちょ》していい筈である。面倒な文学形式上の区別は省いて、「マルテの手記」の主人公が、作品の性質からして一切の行動らしい行動を封じられていることを指摘すれば足りる。

小説かどうかの問題は別としても、「マルテの手記」では主人公の孤独が作品の前提になっていて、生きて行く為の努力がそのまま人間を孤独に追い込んで行く仕組みになっているということはない。人間の孤独はこの作品でも描かれている。併し人間は人間として生きて行くだけで孤独であるを免れないことによってこの事実が人間的に成立するのであって、「マルテの手記」は既に成立した事実を凡《およ》そ精密に追っているに過ぎない。

「野火」の主人公には少しも異常な所がないことに先ず注意していい。作者は彼を平凡な一人の中年男に仕立てるのに明かに苦心しているのであって、その苦心が失敗した跡はどこにも見られない。彼が知識人であることを指摘するものがあるかも知れない。併し知識人であるということは、現代人であるということなのであって、人間が知識人であることを強《し》いられるのが現代人というものの定義である。

　これに対して、孤独を強いられるのは昔からの人間の状態であり、ここに「野火」は現代小説として、つまり、現代に生きる人間の小説として成立する。その主人公の行動を辿《たど》って行くならば、その性格と同様に、我々にとって不可解なものは何一つないのであって、それが余りに平凡なことばかりであるのが却《かえ》って我々に、我々自身を含めた人間というものが如何《いか》に異常な存在であるかということに気付かせてくれる。

　それに気付かせてくれるのはこの主人公が、その行動が、凡庸なのにも拘《かかわ》らずする異常な体験である。パスカルではないが、我々が尋常な社会生活を営んでいる時はいつも何か、我々の気を紛らせてくれるものがある。それがなくなった場合はどうなるか。我々が人間であることを止《や》めた場合はというのではなくて、単に我々自身は人間であることを続けながら、我々の精神が置かれている状態、或は我々の精神が生きている世界から我々の注意を逸《そ》らすものが何もなくなったらばである。「野火」では他の人間的な条件は凡《すべ》て揃《そろ》えてあって、他の人間の存在にさえもこと欠かない。併し通常の生活では、自分以外に人間がいることが共同生活を実現して、我々の眼を我々の内部から外に向ける結果になるのであるが、「野火」の主人公が置かれている状況では、他人の存在も主人公を彼一人の世界に益々追いやるばかりである。その時何が起るか。それが「野火」で行われている実験である。

結論は読者に任せる。そしてそれが幾通り出ようと、この実験が「野火」という一つの完璧《かんぺき》な作品に結実していることだけは動かせない。最後に、二つのことが頭に浮ぶ。その一つは、曾て或る批評家が或る別な批評家の作品を評して言った、ここに君の発狂は完成された、という言葉であり、もう一つは、シェイクスピアの「リヤ王」の結末である。

（昭和二十九年四月、文芸評論家）

この作品は昭和二十七年二月創元社より刊行された。

山本周五郎著

青べか物語

うらぶれた漁師町・浦粕に住み着いた私はボロ舟「青べか」を買わされた――。狡猾だが世話好きの愛すべき人々を描く自伝的小説。

山本周五郎著

柳橋物語・むかしも今も

幼い恋を信じた女を襲う悲運「柳橋物語」。愚直な男が摑んだ幸せ「むかしも今も」。男女それぞれの一途な愛の行方を描く傑作二編。

山本周五郎著

五瓣の椿

連続する不審死。胸には銀の釵が打ち込まれ、傍らには赤い椿の花びら。おしのの復讐は完遂するのか。ミステリー仕立ての傑作長編。

山本周五郎著

赤ひげ診療譚

貧しい者への深き愛情から〝赤ひげ〟と慕われる、小石川養生所の新出去定。見習医師との魂のふれあいを描く医療小説の最高傑作。

山本周五郎著

大《おお》炊《い》介《すけ》始末

自分の出生の秘密を知った大炊介が、狂態を装って父に憎まれようとする姿を描く「大炊介始末」のほか、「よじょう」等、全10編を収録。

山本周五郎著

日本婦道記

厳しい武家の定めの中で、愛する人のために生き抜いた女性たちの清々しいまでの強靭さと、凜然たる美しさや哀しさが溢れる31編。

吉村昭著
戦艦武蔵
菊池寛賞受賞

帝国海軍の夢と野望を賭けた不沈の巨艦「武蔵」——その極秘の建造から壮絶な終焉まで、壮大なドラマの全貌を描いた記録文学の力作。

吉村昭著
星への旅
太宰治賞受賞

少年達の無動機の集団自殺を冷徹かつ即物的に描き詩的美にまで昇華させた表題作。ロマンチシズムと現実との出会いに結実した6編。

吉村昭著
高熱隧道

トンネル貫通の情熱に憑かれた男たちの執念と、予測もつかぬ大自然の猛威との対決——綿密な取材と調査による黒三ダム建設秘史。

吉村昭著
冬の鷹

「解体新書」をめぐって、世間の名声を博す杉田玄白とは対照的に、終始地道な訳業に専心、孤高の晩年を貫いた前野良沢の姿を描く。

吉村昭著
零式戦闘機

空の作戦に革命をもたらした〝ゼロ戦〟——その秘密裡の完成、輝かしい武勲、敗亡の運命を、空の男たちの奮闘と哀歓のうちに描く。

吉村昭著
陸奥爆沈

昭和十八年六月、戦艦「陸奥」は突然の大音響と共に、海底に沈んだ。堅牢な軍艦の内部にうごめく人間たちのドラマを掘り起す長編。

新潮文庫の新刊

永井紗耶子著
木挽町のあだ討ち
直木賞・山本周五郎賞受賞
「あれは立派な仇討だった」と語られる、あだ討ちの真実とは。人の情けと驚愕の結末が感動を呼ぶ。直木賞・山本周五郎賞受賞作。

武内涼著
厳島
野村胡堂文学賞受賞
謀略の天才・毛利元就と忠義の武将・弘中隆兼の激闘の行方は――。戦国三大奇襲のひとつ〝厳島の戦い〟の全貌を描き切る傑作歴史巨編。

近衛龍春著
伊勢大名の関ヶ原
男装の〈姫武者〉現る！　三十倍の大軍毛利・吉川勢と戦った伊勢富田勢。戦国の世を生き抜いた実在の異色大名の史実を描く傑作。

望月諒子著
野火の夜
血染めの五千円札とジャーナリストの死。木部美智子が取材を進めると二つの事件に思わぬつながりが――超重厚×圧巻のミステリー。

藤野千夜著
ネバーランド
同棲中の恋人がいるのに、ミサの家に居候を始めた隆文。出禁を言い渡されても隆文は態度を改めず……。普通の二人の歪な恋愛物語。

平松洋子著
筋肉と脂肪 身体の声をきく
筋肉は効く。悩みに、不調に、人生に。アスリートや栄養士、サプリや体脂肪計の開発者に取材し身体と食の関係に迫るルポ&エッセイ。

新潮文庫の新刊

今野敏著
審議官
―隠蔽捜査9.5―
県警本部長、捜査一課長。大森署に残された署員たち。そして竜崎の妻、娘と息子。彼らだけが知る竜崎とは。絶品スピン・オフ短篇集。

白石一文著
ファウンテンブルーの魔人たち
大学生の恋人、連続不審死、白い幽霊、AIロボット……超高層マンションに隠された秘密とは？　超弩級エンターテイメント開幕！

櫛木理宇著
悲鳴
誘拐から11年後、生還した少女を迎えたのは心ない差別と「自分」の白骨死体だった。真実が人々の罪をあぶり出す衝撃のミステリ。

仁志耕一郎著
闇抜け
―密命船侍始末―
俺たちは捨て駒なのか――。下級藩士たちに下された〈抜け荷〉の密命。決死行の果て、男たちが選んだ道とは。傑作時代小説！

堀江敏幸著
定形外郵便
芸術に触れ、文学に出会い、わたしたちは旅をする――。日常にふいに現れる唐突な美。過去へ、未来へ、想いを馳せる名エッセイ集。

阿刀田高著
小説作法の奥義
物語が躍動する登場人物命名法、書き出しとタイトルのパターンとコツなど、文筆生活六十余年「小説界の鉄人」が全手の内を明かす。

野《の》　火《び》

新潮文庫　お-6-3

昭和二十九年四月三十日　発行
平成二十六年七月十日　百八刷改版
令和七年九月二十日　百二十二刷

著者　大《おお》岡《おか》昇《しょう》平《へい》

発行者　佐藤隆信
発行所　株式会社 新潮社
郵便番号 一六二—八七一一
東京都新宿区矢来町七一
電話 編集部(〇三)三二六六—五四四〇
読者係(〇三)三二六六—五一一一
https://www.shinchosha.co.jp
価格はカバーに表示してあります。
乱丁・落丁本は、ご面倒ですが小社読者係宛ご送付ください。送料小社負担にてお取替えいたします。

印刷・株式会社光邦　製本・加藤製本株式会社

ISBN978-4-10-106503-8 C0193